まだある。

今でも買える“懐かしの昭和”カタログ ～文具・学校編 改訂版～

初見健一

大空ポケット文庫

凡例

❶本書には、六〇〜七〇年代の、いわゆる「高度経済成長期」に発売された商品、または、この時代を子どもとして生きた人々の記憶に強く残っていると思われる商品を中心に、一〇〇点の文房具、学用品を掲載した。

❷商品の流通には地域差があり、従って商品にまつわる記憶にも地域差が出るが、本書では視点を当時の東京に置いた。しかし、いくつかの例外をのぞいて、全国規模で認知されている商品を選別した上で掲載している。

❸商品は発売年順に羅列した。メーカー側が発売年を正確に特定できないものについては、「一九六〇年ごろ」「一九六〇年代前半」などと表示した。一時期市場から消え、その後、再発売されたものについては、先に最初の発売年を表示し、次に（ ）で再発売年を表示した。随時リニューアルしながら販売されている商品を取り上げる場合、そのメーカーが同種の商品を最初に手がけた年代を表示し、次に該当商品の個別発売年を（ ）で表示した。

❹原則として、期間・数量限定の「復刻商品」として発売されたものについては除外した。また、六〇〜七〇年代のキャラクターを再利用した商品なども除外している。

❺価格については、メーカー希望小売価格が設定されているものはその金額を、オープン価格とされるものについては一般的な市場価格を税込みで表示した。また、販売元の方針で市場価格を表示できないものについては、その指示に従った。

まだある。

今でも買える〝懐かしの昭和〟カタログ　～文具・学校編　改訂版～

ヤマト糊（でんぷん糊）

液状タイプやスティックタイプの糊が登場しても、「我関せず」と揺るぎない地位を堅持する超ロングセラー商品。もはや「でんぷん糊」の代名詞的存在である。

ヤマトの創業者である木内弥吉氏は、もともと両国の薪炭商。炭を小分けする袋貼りが日課だったが、当時の糊は主に米などのでんぷんを水で煮たものだったので、すぐに腐ってしまう。困ったあげく、防腐剤入りの糊を自ら製造。「腐らない、保存がきく、よい香りがする（現在は無香料）」ということが評判になると、木内氏は大八車に糊をのせ、会社や学校への行商を開始。これが「ヤマト糊」のはじまりである。

指先で糊を伸ばすときの、あの独特の「冷んやり感」。小学校卒業以来、久しく忘れていた感覚だ。当時は、図工の授業にはもちろん、子ども向け雑誌の付録の定番だった厚紙製のロボットや宇宙船を組み立てるときにも、「でんぷん糊」は必須のツールだった。「のりしろ」「やまおり」「たにおり」など、大人になるとめったに使わない言葉を懐かしく思い出してしまう。

初期の容器はガラス製だった。チューブ式は1952年に発売、おなじみの現行品は56年に。ボトルは58年発売、80年ごろに現行品に。このときからボトル側面についていたヘラがキャップ内側にセットされるようになった

●ヤマト糊(でんぷん糊)

発売年：1899年　価格：チューブ(55g)84円、ボトル(70g)105円
問合せ：ヤマト株式会社／0120-36-6203

開明墨汁

明治二〇年代、開明の創業者で当時は小学校の教員だった田口精爾《せいじ》氏は、「寒い冬、子どもがかじかんだ手で墨をするのはかわいそう」と、「すらずに使える墨」の開発に着手する。研究を重ねて明治も末期になったころ、液体墨、すなわち墨汁の製品化に成功。つまり「開明墨汁」は先生の「やさしさ」から生まれた商品なのである。

小学校の書道、中学校の柔道、高校の剣道……学生時代、こうした「道」の文字がつく授業がどうにも苦手だった。こういう科目の先生は、たいてい「精神統一ッ！」とかなんとか場違いな声で急に叫びだし、生徒に座禅のマネゴトをさせたがるタイプが多かったような気がする。書道の先生も「墨をするのも精神修養だ！」なんてことをよく言っていた。墨をする生徒たちの間を歩いてまわり、「背中が曲がってる！」「ひじが曲がってる！」といったことを怖い顔でチェックしていたものだ。

「精神修養」好きの方々は、「便利」で「合理的」なモノとはなかなか相容《い》れないらしく、「開明墨汁」も当初は厳格な書道家から「邪道だっ！」と批判されたそうだ。

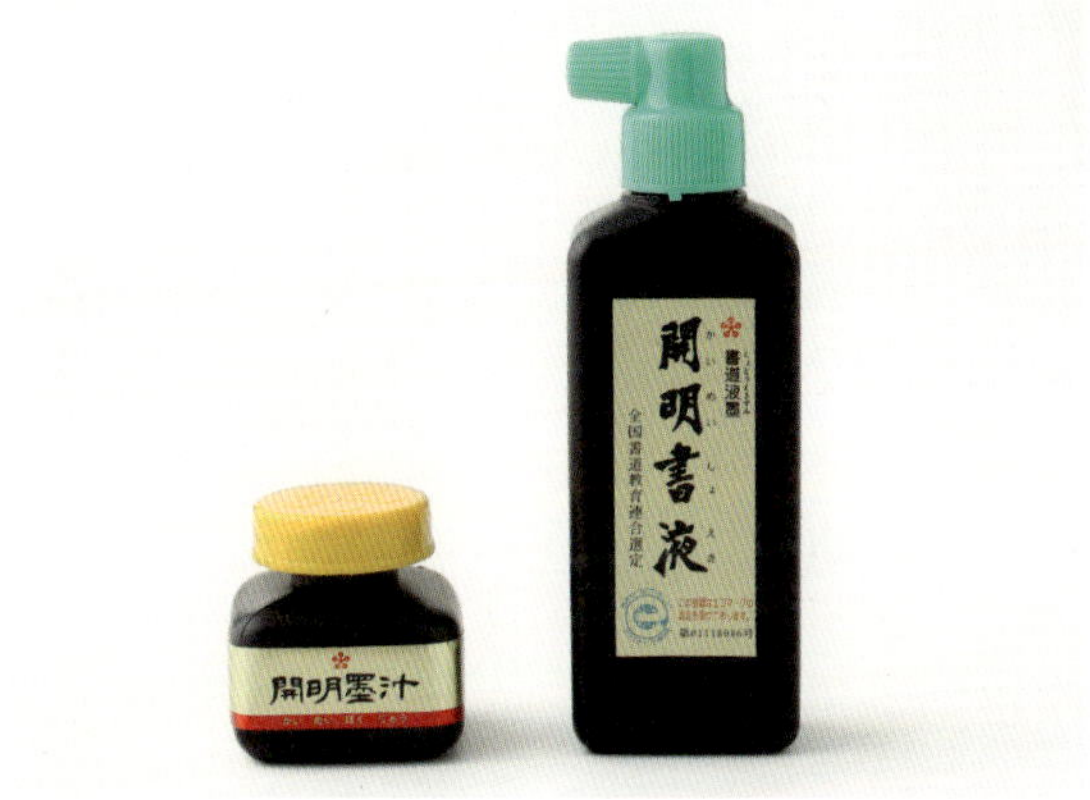

液体墨には墨汁と書液があるが、それぞれ成分が違う。合成樹脂を使用した書液は乾きが速く、筆運びも軽い。子どもにも扱いやすいため、主に学校で使われる。光沢があり、耐水性の強い墨汁は書液よりも本格的。こちらは合成樹脂の代わりにニカワが使用されている

●開明墨汁（70ml）、開明書液（横口／180ml）

発売年：1900年代初頭　価格：墨汁294円、書液367円
問合せ：開明株式会社／048-882-1091

トモエそろばん

確か小学校の三年に上がったときだったと思う。学期はじめに先生が「えー、今年度は算数でそろばんをやりますから」と、生徒たちに注文書を配布した。「持ってない人は、このプリントを家の人に見せて買ってもらいなさい」というわけである。「持ってない人は」というのは、当時は「そろばん塾」というものが流行《はや》っていて、マイそろばんを持っている子も多かったのだ。僕はそれまでそろばんには縁がなかったので、その注文書で購入した。届いたそろばんがトモエだったか、あるいは「天下一ソロバン」だったか記憶が曖昧《あいまい》だが、ともかくこのトモエと同じチェック柄の布ケースつきだった。男の子が青、女の子が赤。で、本体にも男の子用、女の子用があった。珠《たま》の色が違っていて、男の子用は塗装なし、女の子用はエンジ色だったと思う。

結局、そろばんを使った授業は四、五回ほどでウヤムヤになり、それっきり。「企画倒れ」みたいな授業だったのだ。なので、いまだにそろばんの使い方を知らない。唯一覚えているのは、「計算する前に一番上の珠をチャッとやる」ということだけ。

スタンダードなそろばんと女子用ケース。和太鼓の模様のようなトモエのマーク(三つ巴と呼ばれる)は、1918年に商標登録されている。ところで、最近の小学校でもそろばんの授業を行うのだろうか？　ランドセルの脇からそろばんケースをはみ出させて歩いている子どもをあまり見かけないけど……

●トモエそろばん(スタンダード／4珠23桁)

発売年：1917年　価格：4200円(ケースは735円)
問合せ：トモエ算盤株式会社／03-5269-8181

9　トモエそろばん

サクラクレヨン

隣の芝生は青く見える……ではないが、園児時代、ほかの幼稚園に通う友達がやたらとうらやましかった。僕は「宮本幼稚園」だったが、近所にはほかに「エンゼル幼稚園」「同胞幼稚園」がある。まず、「エンゼル幼稚園」という名称のフェアリーな響きがうらやましい。「宮本」の制服は深緑のスモックだが、「同胞」は私服。オトナっぽくてうらやましい。さらに「宮本」には歌劇団じみた「花、星、月」というクラスがあって、僕は花組だったために「女の子みたい！」な花形の赤い名札の装着を強要された。「エンゼル」「同胞」にそんな規則はない。当然、激しくうらやましい。

「宮本」ではクレパスはサクラ、クレヨンはぺんてるだったが、「同胞」のヨッちゃん宅で初めて「サクラクレヨン」を目にした。「ぺんてるじゃない！」とひどく驚き、その見慣れぬ箱にヨッちゃんとの奇妙な「距離」を感じ、不思議な気分になった。

野良猫よりも行動範囲が狭い（たぶん）園児たちにとって、「違う幼稚園」はほとんど「外国」。そこで使われる「お道具」は「異国の文化」の象徴なのである。

日本クレイヨン商會(現在のサクラクレパス)が「櫻クレィヨン」の製造を開始した1920年代は、国産クレヨン黎明期。それ以前、クレヨンは米国産の「高級舶来品」だった。1925年、尋常小学校低学年用画材として当時の文部省がクレヨンを推奨し、急速に普及していく

●サクラクレヨン ふとまき12色

発売年：1921年　価格：472円

問合せ：株式会社サクラクレパス／06-6910-8800

地球ゴマ

六〇～七〇年代には「なんだかよくわからないオモチャ」が数年おきに大流行する、という現象が繰り返された。たとえば「水飲み鳥」、たとえば「スライム」、そして「地球ゴマ」。これらの「よくわからないオモチャ」は、どれも「よくわからない」ことが話題となって流行し、結局のところ「よくわからない」まま下火になる。その後、なぜか「理科教材」として生きのびるという共通の運命をたどるのだ（「水飲み鳥」は気化熱、「スライム」は高分子、「地球ゴマ」は地球の自転を学ぶ教材として残存）。

で、この「遠心力応用科学教育玩具」なる重厚な宣伝文句がついた「地球ゴマ」、僕らの子ども時代に話題になった商品だが、発売はなんと大正時代。なぜか半世紀後にブームとなったわけだ。七〇年代は「宇宙ゴマ」などのニセモノが続々と登場したが、コピー商品はどれもただのコマ。独特の高速回転は、親子二代にわたって「地球ゴマ」を製造するタイガー商会の「お家芸」なのである。実はミクロン単位の精度が要求されるこの玩具、職人のワザに支えられた精巧な「工芸品」でもあるのだ。

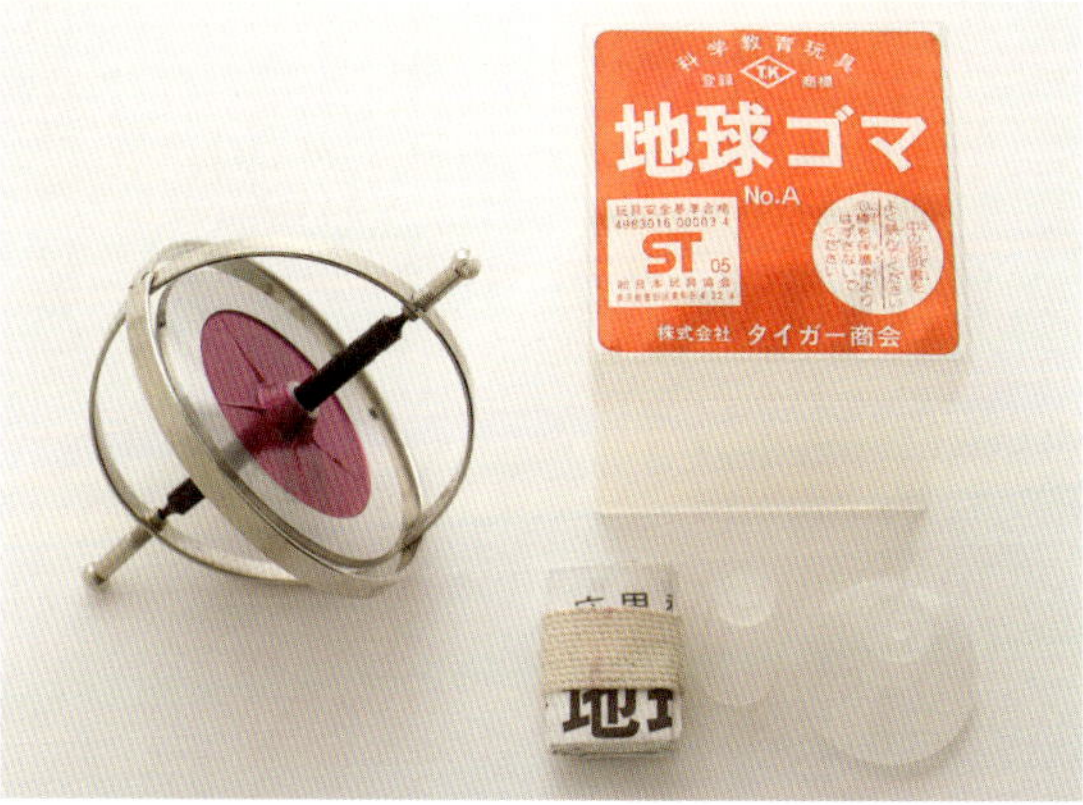

「高速回転する物体は回転軸の方向を一定不変に保つ」という法則(「ジャイロ効果」と呼ぶ)を応用した動きの不思議さは、まるで重力から解放された永久機関。現実と特撮番組の区別がいまひとつハッキリしなかった子ども時代も「スゲェ！」と驚いたが、大人になった今見てもやっぱり「なんかスゲェ！」

●地球ゴマ(Aサイズ)

発売年：1921年
価格：1680円(1155円〜1680円。サイズ違いで全3種)
問合せ：株式会社タイガー商会／052-711-7111

サクラクレパス

この「サクラクレパス」、あるいは「ぺんてるくれよん」あたりが、「日本人が生まれて初めて手にする画材」の代表だろう。僕の場合は「サクラクレパス」だった。

この淡いオレンジ色の箱と初めて対面したのは、母親と出かけた幼稚園の面接会場。面接では、まず親だけが個室に呼びだされ、子どもは待合室での待機を命じられる。試されるのは呼びだされた親ではなく、実は子どもたちの「親離れ度」。ここで「ギャーッ!」と泣きだしてしまえば、すかさず落伍者の烙印が押される。この残酷な選別システムについては、あらかじめ親から入れ知恵されていた。そのためになんとか冷静でいられたが、案の定、周囲には「ギャーッ!」を開始する子どもたちが続出。

待合室のテーブルには、絵本や粘土、折り紙など、いくつかの気晴らし用の道具が用意されている。そのひとつとして、「サクラクレパス」が画用紙とともに置かれていた。「ギャーッ! ギャーッ!」という阿鼻叫喚《あびきょうかん》のなか、多少の不安を押し殺しつつ、「サクラクレパス」で自動車かなにかの絵を黙々と描きつづけたことを覚えている。

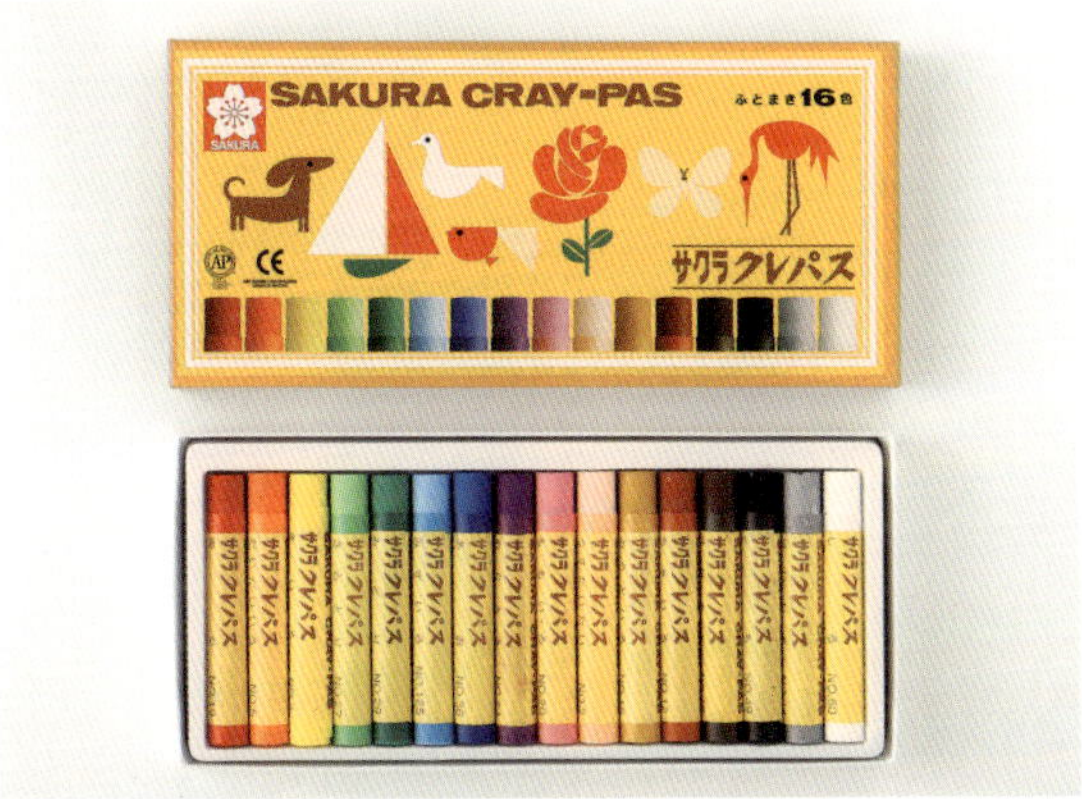

発売当初は気温によって硬度が変わりやすかったため、夏用・冬用の2種が販売されていた。クレヨンとパステルの長所を併せ持つ「クレパス」はサクラクレパスの登録商標。一時期は評判に乗じて類似品が続出。そのため、商品名を「ほんとのクレパス」と改称したこともある

●サクラクレパス ふとまき16色

発売年：1926年　価格：630円
問合せ：株式会社サクラクレパス／06-6910-8800

ガンヂー インキ消

不可思議な商品名と不可思議なパッケージが異彩を放つインク消し。事務用書類の多くが万年筆で記入されていた時代、インクで書かれた誤字などを修正するために考案されたツールだ。開発したメーカーの丸十化成は「ミスノン」という国産初の修正液でも知られる、いわば「修正用品」のパイオニア。この「ガンヂー インキ消」も一時期は事務用品の定番として普及し、今も手書き書類が重視される「お役所」などでは愛用されている。残念ながら丸十化成は二〇〇九年に自己破産。しかし、「ガンヂー」も「ミスノン」もカズキ高分子という会社が販売を引き継いでいる。

インク消しの開発は、消えにくいインクを研究・開発するインクメーカーとのイタチごっこなのだそうだ。特にボールペンのインクは日々改良されており、昨今主流のゲルインクなどには対応できなくなっているのだとか。が、試してみたところ、スタンダードなＢＩＣのボールペンで書いた文字はシッカリと消すことができた。塩素が含有されているのか、使用後にはかすかに「夏休みのプール教室」の匂いが漂う。

左はボールペン用(1966年発売。840円)。万年筆用もボールペン用も、クラシックなガラスの小ビンに入った2種の液体からなり、これらを指定の順番で塗布してインクを消す

●ガンヂー インキ消(万年筆インキ用)

発売年：1935年　価格：735円

問合せ：株式会社カズキ高分子／電話番号非掲載

セメダインC

六〇年代後半から八〇年代初頭、プラモデル市場はとにかくアツかった。『サンダーバード』などのSFモノやタミヤのミリタリーシリーズにはじまり、七〇年代のスーパーカーブームのころは各社がこぞって人気車をモデル化し、「カウンタックLP500」だけでも店にコーナーができるほど。で、八〇年代には「ガンプラ」ブームの狂乱……。メカっぽいモノに興味が持てない子どもたち向けにも、『ゲゲゲの鬼太郎』などの各種マンガのキャラや、「ロボダッチ」などのオチャラケ系プラモが充実していた。

こうしたキットに添付されていたのが「セメダイン」の小さなチューブ。無数のプラモの記憶とともに、赤い「C」マークが子どもたちの脳裏に焼きつけられた。戦前の「模型飛行機ブーム」ですでにヒット商品の座を獲得していた「セメダインC」は、僕らの幼少期に最盛期を迎え、男の子たちの基本ツールとなっていたのである。

ところが！　昨今はプラモ市場も衰退し、主流は「セメダイン不要」の超簡単キット。パチパチと部品を組めばできあがり。おまけに彩色ずみだと？　ふざけるなっ！

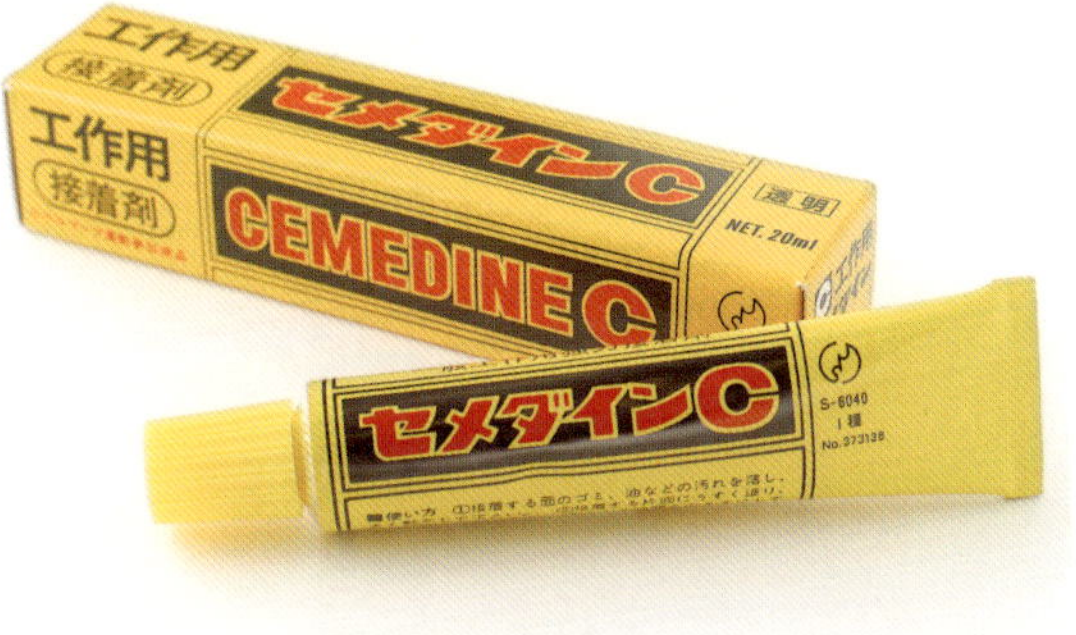

現在、売り上げは最盛期に比べると低迷状態。本文にも書いたとおり、「ガンプラ」をはじめとして最近のプラモは接着不要のハメ込み式が多く、昔のようにキットにミニチューブが付属するということもなくなった。かつては、どうしても組み上がらない不良キットも多くて、「つくれないよぉ～」という失望感もプラモの醍醐味だったのだが……

●セメダインC 工作用(20ml)

発売年：1937年(38年説もあり)　価格：178円
問合せ：セメダイン株式会社／03-6421-7411

ばれん

小学生時代、その必要性に疑いを抱いていたモノのひとつ。版画を刷るとき、紙と版木を密着させるために「こする」という、ただそれだけの目的のために購入を強要された道具だ。図工の時間、ばれんで紙をスリスリしながら「こんなに限定された用途の道具が本当に必要なのかなぁ?」なんてことをよく考えていた。丸めた新聞紙かなんかでも代用できそうだし、なんだったら手でスリスリしたっていいような気がする。そのわりには、なにやら「日本の匠」などという言葉を彷彿《ほうふつ》させる意味深でシブいルックス。なんとなく「実力がないくせに偉そう」という印象の商品なのである。

が、版画家の世界では「『刷り』の仕上がりはばれんで左右される」というほど重要な道具なのだそうだ。本格的な手づくり品はビックリするほど高価なのである。もちろん、学校で使っていたのはプラスチックの板を竹の皮で包んだだけの安価なタイプで、文房具屋さんでは裸のまま段ボール箱などに入れられて売られていた。版画家の先生方には怒られそうだが、ミニフリスビー代わりに投げるとよく飛んだ。

写真の「大」は直径12cm。ほかに10cmの「小」がある(158円)。彫刻刀はだいぶ様変わりし、最近ではプラスチック製のカラフルなタイプが主流だが、どうやらばれんは未来永劫、この古典的な形でいくらしい。これが完璧な形なのか、あるいは「これでいいや」と思われているのか……

●ばれん(大)

発売年:1930年代後半　価格:263円
問合せ:銀鳥産業株式会社/052-241-9341

朱藍《しゅあい》鉛筆

小学校では「筆箱には必ず赤鉛筆を入れておく」ことになっていた。ただの赤鉛筆より、ちょっとオプションがついた感じの「朱藍鉛筆」(当時は赤青鉛筆と呼んでいた)が子どもたちの人気を呼んだ。本来は「一本二役」の機能性がウリだが、子どもたちの赤青鉛筆は赤側ばかりが減りつづけ、最後は短い青鉛筆になって捨てられてしまう。これを考慮してか、現在では七対三で赤の割合が多いタイプも売られている。で、前から疑問だったのだが、なぜ「赤と青」なのか? この商品、そもそもは主に出版社や印刷所で使われる筆記具だったようだ。出版社などでは、校正刷り(チェック用の試し刷り)に訂正を入れることを「赤字を入れる」と言うが、かつては「青字を入れる」という言い方もあったらしい。これは訂正ではなく、指定や指示のコメントを入れる場合。特に版下(これをもとに印刷用フィルムをつくる)に書き込むとき、「青」はフィルム上で感光しないので便利だった。現在は版下をつくらずにデータがそのままフィルムになるため、「青字」の意味はほとんどなくなっている。

不明(1940年代後半?)

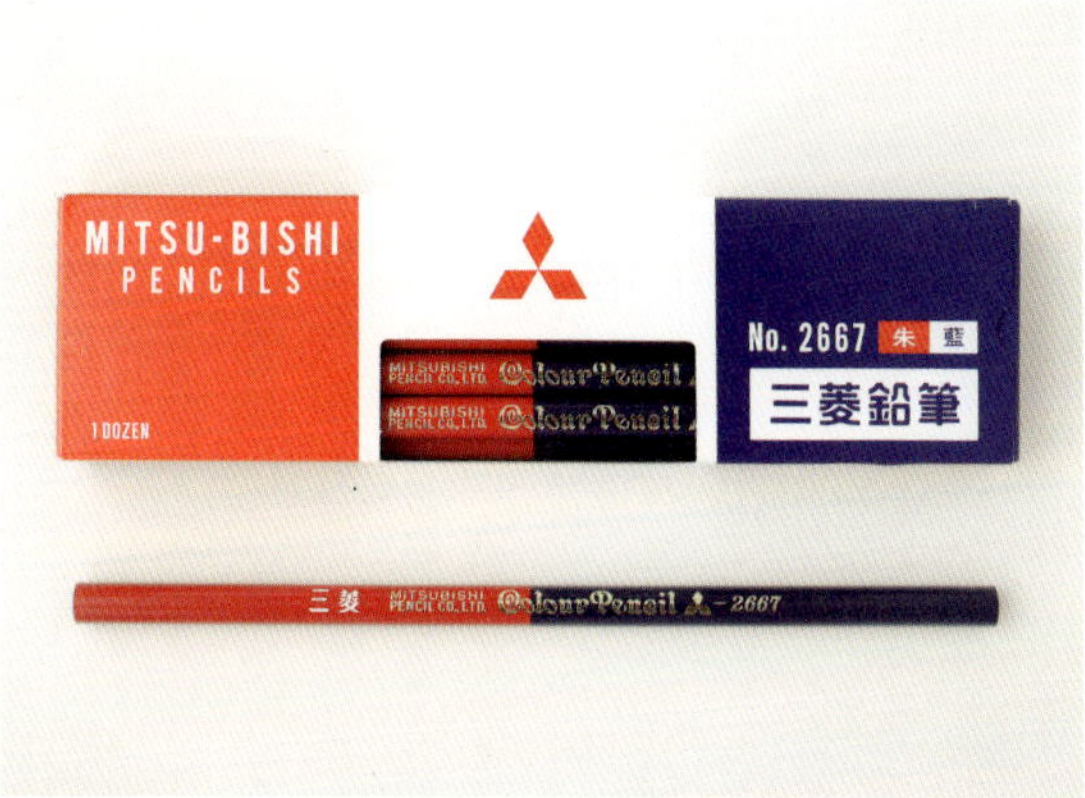

正確な発売年はメーカーも把握しておらず、戦前から販売されていた可能性もあるという。こうした「1本○役」の筆記具は、なぜか子どもたちを魅了する。その昔、1本で4種類の色を出せる色鉛筆もブームになった。1本の芯が4色に分割され、角度によって違う色の線が引けるのである

●朱藍鉛筆(No.2667)

発売年：不明(1940年代後半？)　価格：756円(1ダース)
問合せ：三菱鉛筆株式会社／0120-321-433

ニッカー ポスターカラー

ニッカーは一九五〇年創業の老舗《しにせ》画材メーカー。このニッカーブランドのポスターカラーは、東京近郊では学校備品の定番だった。このビンを目にしただけで、小学校の図工室の匂いや、学芸会・文化祭直前のザワザワを思い出してしまう。

学校では、「ここぞ」というときにしかポスターカラーを使わせてくれなかったという記憶がある。通常の授業には登場することがなく、使用が許されるのは「共同制作の大きな絵」を描くときだった。主に学芸会や文化祭用の掲示物の制作時。大きな模造紙を床に広げ、みんなで靴を脱いで紙の上にしゃがみ、頭をぶつけ合うようにしながら、人形劇「人魚姫」の背景の海やらお城やらを描いたことを覚えている。

僕の実家は商売をやっていたため、ポップ制作用のニッカーのセットが常備されていた。それをよく勝手に使ってマンガを描いて遊んでいたのだが、ときどきキャップを閉め忘れたまま放置してしまい、親にひどく怒られた。ポスターカラーは空気に触れる状態にしておくと、すぐに石みたいにカッチカチの固体になってしまうのである。

単品で購入すると1本378円。けっこう高価。学校であんまり使わせてくれなかったのもお値段のせい？　発色と伸びがよく、ムラなく彩色でき、乾くと表面がマットなタッチになるのが特徴

●ニッカー ポスターカラー（40mlプラ容器／12色セット）

発売年：1950年　価格：4620円

問合せ：有限会社ニッカー絵具製造所／03-3502-0955

三菱色鉛筆

俗に「850《ハチゴーマル》」と呼ばれるクラシックな紙箱入り色鉛筆。色鉛筆の世界も日進月歩で、現在、三菱の主力色鉛筆といえば、ハイグレードなプロ仕様の一〇〇色セット「ユニカラー」や、水に溶かして水彩絵の具のタッチを再現できる「ユニ ウォーターカラー」、普通の消しゴムで消せる「ユニ アーテレーズカラー」など、我々世代にはなじみのない新機能をウリにした商品たち。すでにネット上の商品一覧からは「850」は消えているが、それでもイラストレーターやデザイナーたちの中には愛好者が多い一品だ。

この「850」、七〇年代からすでに「長寿商品」としての風格を備えていて、愛用していたのは主に大人たちだったと思う。これを学校に持ってくるほどシブ好みの小学生は少なかった。当時の小学生御用達色鉛筆といえば、主流は缶ケース入り。で、男の子ならスーパーカーや電車の写真がケース全面に印刷された「乗り物系」。女の子なら水森亜土のイラストや、「パティ&ジミー」（当時の一番人気は「キティちゃん」ではなかったのだ！）など各種サンリオキャラの「ファンシー系」だった。

中身の鉛筆には、昔から変わらぬ金文字の「Mitsu-Bishi」ロゴ。ちなみにキャラクターや乗り物系の色鉛筆は現在も健在で、三菱鉛筆からもディズニー、サンリオなどの製品が発売されている

●三菱色鉛筆No.850（12色）

発売年：1951年　価格：756円

問合せ：三菱鉛筆株式会社／0120-321-433

ギターペイント

本書の原稿を書いていてなんともスッキリしないのは、小学生時代の「水彩絵の具セット」のメーカーがどうしても思い出せない、ということ。セットの中身は同じメーカーのモノで統一されていたと思うので、小学生のときに使った画材一式まるごとが忘却の彼方なのである。本来は小学校で使った絵の具こそが「絵の具の思い出」の中核をなすべきで、そこがスッポリ抜け落ちているのは非常に気持ちが悪い。

中学校で使った絵の具はハッキリと覚えていて、それがこの「ギターペイント」。いや、「この」ではない。別バージョンの「ギターペイント」で、「湖のほとりの赤い風車小屋」が描かれている叙情的で大人っぽいデザインの箱だ。残念ながら「風車」バージョンはすでに廃番となり、当時からあった「自転車とハリガネ人間」のデザインに統一されている。また、「ギターペイント」は全商品で金属チューブを廃止し、ポリチューブにリニューアル。あの「Guitar」の大きな文字と絵筆のイラストが描かれた黒いラベルのチューブは、ちょっと高級感があって好きだったんだけど。

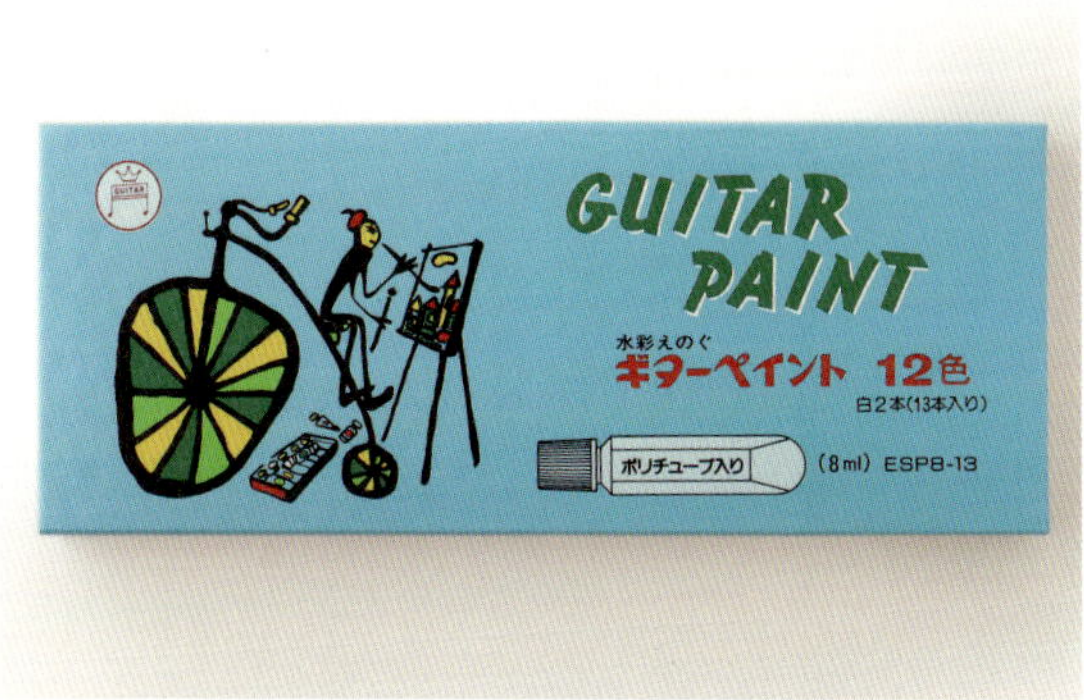

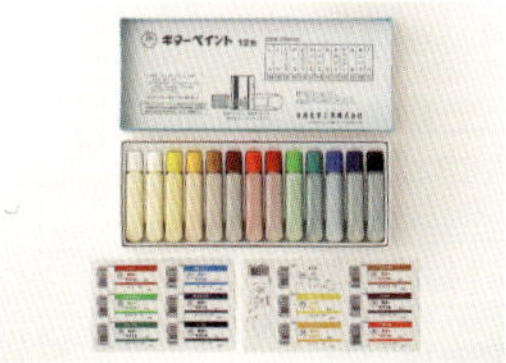

関西では「♪お空の色はどんな色〜」というCMソングでおなじみだが、東京でも70年代の一時期、夕方のアニメ再放送タイムに集中して放映されていた。草原のような場所で、男の子と女の子が写生をしているような内容だったと思う

●ギターペイント(8ml/12色セット)

発売年:1951年　価格:872円

問合せ:寺西化学工業株式会社/06-6928-3101

丸筒

ワニ革風の加工が施された定番の紙筒。なにかで表彰されたことがある人は別だが、基本的には人生でたった数回体験する卒業式のときにだけ手にするモノだと思う。

僕も小学校から大学まで、計四回の卒業式を体験したわけだが……と書いて思い出したが、そういえば大学の卒業式はバックレちゃったので、三回しか体験していない。いや、幼稚園にも卒園式らしきものがあった。「♪い〜つの〜こと〜だか〜、思い出してご〜らん」と、みんなで歌ったのを覚えている。なので、やはり四回。

で、もっとも強く印象に残っているのは小学校の卒業式である。六年間もの時を過ごしたあとの卒業だから、ではなく、本番の一カ月ほど前から十数回にわたるリハーサルをやらされたからだ。「♪あお〜げば〜、とお〜とし〜」と歌ってジ〜ンと目頭が熱くなったのは練習の三回目くらいまで。その後、連日のようにバーチャル卒業式を繰り返し、本番当日には自分の中のセンチメンタリズムは枯れ果てていた。なんだか来賓に見せるためだけの式みたいで、ちょっと本末転倒していたような気がする。

この筒を見ると、今も「証書の授与」の予行練習を思い出す。左手から先に出して証書を受け取り、うやうやしく一礼、一歩後退してから左向け左をして退場……。誰があいう無意味なことを決めるのか知らないが、今もこうした「プロパガンダ」的な卒業式が行われているのだろうか？

●**丸筒 ワニ柄(30cm)**

発売年：1951年ごろ　価格：オープン価格

問合せ：株式会社デビカ／052-794-9575

マジックインキ

普段、誰もが不用意に「ちょっと、そこのマジック取ってくれない？」なんて言っているわけだが、「マジック」はあくまで固有の商品名。厳密には、この「マジックインキ」の商標なのである。今では油性ペンの代名詞になった「マジック」という呼称、これはこの商品が発売当初、いかに画期的なモノだったかを表した言葉だ。どんなものにも書くことができ、すぐにインクが乾いて水に濡れても消えない。今の感覚では「油性なんだから当然」だが、「筆記具＝紙にしか書けない」という水性インク時代に初めて登場した油性「マジック」は、まさに「魔法《マジック》のインキ！」だったのだ。

ガラスビンに芯をつけたような独特の形状は発売時からまったく変わっていないが、これは当初から完全「リユース（再使用）」を視野に入れてデザインされたもの。別売りの「補充液」「替えペン先」によって何度でも繰り返し使えるのである。

大きなお世話だが、購入する場合は八色セットの箱買いをおすすめしたい。ほぼ六〇年代のままの外箱のデザインや、「用途説明」のイラストのタッチが絶品である。

1本売りは126円。初めて知ったが「白」のマジックもあり、これだけ157円。ほかにもシリーズがあるが、おなじみなのは「細書き」。金属製の軸にプラ製キャップがついたタイプだ

●マジックインキ（大型／8色セット）

発売年：1953年　価格：1008円

問合せ：寺西化学工業株式会社／06-6928-3101

ソフトテレカード（電話番号早見器）

かつて電話という機械は、ドッシリと重くて、真っ黒で、なんとなくこう「威厳」みたいなものを備えていた。どこかがチラチラ光ったり、チマチマした液晶画面に文字や記号を表示したり、何種類もの着信音をピロピロと鳴らしたり……なんて小細工とはいっさい無縁。たいていの家には「電話台」と呼ばれる「やぐら」状の専用家具が用意されており、その上にただ堂々と鎮座していればよかったのである。で、セットで置かれていたのが「電電公社」の電話帳と、ここに紹介する「電話番号早見器」。

カール事務器は、国内における「電話番号早見器」のパイオニアである。一九五四年に「Ｎｏ．７００テレカード」を発売し、国内はもとより、海外での知名度も高めた。資料を見ると、最初から輸出を視野に入れた「Ｎｏ．７００」は木目調がモダンな感じで、復刻されたら最近のラウンジ系インテリア好きの人たちにもウケそう。現行品も基本機能や構造は五〇年代の「Ｎｏ．７００」からほぼ変わらず、ツマミをカリカリと五〇音表に合わせ、ボタンをポンと押して該当ページを開くスタイルである。

カール事務器のテレフォンインデックスにはいくつかのタイプがあるが、これは1997年に発売されたモデル。商品名に「ソフト」とあるのは、ボタンを押すと扉が「ふわり」と「ソフト」に開くから

●ソフトテレカード

発売年：1954年(1997年)　価格：1470円

問合せ：カール事務器株式会社／03-3695-5379

少年写真ニュース

半世紀以上にわたって、殺風景な小学校の廊下を飾りつづけてきた壁新聞。メインの「少年写真ニュース」のほか、「保健ニュース」や「給食ニュース」などもおなじみだ。現在では、IT情報を掲載する「学校コンピュータ」や、不審者から身を守るための情報（イヤな時代である）を掲載した「子ども防犯ニュース」などが発行されている。

小学生時代、この種の壁新聞が大好きだった。今も覚えているのは、保健室前の壁に貼られていた「保健ニュース」の記事。「人間の成長」を図解したもので、赤ちゃんが老人になるまでの過程が描かれている。よく見ると、イラストの男性が二五歳を境に突如、ヒゲを生やしてスーツを着込んだ「いかにも立派な大人」に変身していた。

当時は「へぇ〜、人間って二五歳からちゃんとした大人になるのか」と無邪気に考えたことを覚えているが、まさか未来の自分が二五どころか四〇過ぎても「ちゃんと」せず、「『少年写真ニュース』大好き！」などと、寝言と同じくらいに非生産的な原稿を書く「オトナ」になっているとは、もちろん思いもよらなかったのである。

少年写真新聞 Juniors' Visual Journal 少年写真ニュース

魔法の指が吹き込む新しい命

捨てられてしまう物たちを使い、アートとしてよみがえらせました

荒野をさまようロボット、子どもは犬とお散歩中…今にも動きだしそうに見える不思議な作品ばかり。

これらはすべて東京都立川市にすむ田中梅夫さんが、車を修理したあとにでる不要な部品などを、自由な発想で組みあげた「廃部品アート」です。

私たちのまわりにある、捨てられてしまう物にも、見方を変えれば面白い使い方が見つかるかもしれません。

●少年写真ニュース

発売年：1954年　価格：16200円（年間購読のみ）

問合せ：株式会社少年写真新聞社／03-3264-2624

毎月「8のつく日」に発行。価格は自治体によって多少異なる。希望すれば個人での購読もOK。写真は「保健ニュース」（1968年創刊）と「たのしいかがくニュース」（1984年創刊）

スーパーコンパス

五〇年代から学童用コンパスの製造をつづけるソニック（当時は大阪クリップ製作所）のロングセラー商品。大阪の会社だが、「スーパーコンパス」は六〇年代に全国的に普及。小学生時代、東京の小学校でも、この「S」マークの製品を使っている子が多かった。さまざまなラインナップがあるが、これはもっともベーシックなタイプ。現在は、小型シャープペンシルが軸に内蔵されているものなど、子どものころに見たらうらやましくなるような進化形コンパスがシリーズに加わっている。

最近の「スーパーコンパス」シリーズの多くは「中心器つき」だ。「中心器」とは、コンパスの関節部分にあるツマミが常に真上を向くように工夫された機構で、これがあるのとないのとでは使用時の「イライラ感」がまったく違う。七〇年代の小学生にとって、コンパスはイライラする文具の代表だった。慎重に円を描いているとき、無意識に腕に力が入ってしまうのだろう、突如、コンパスの関節がフニャリと曲がる。円の完成までには、いくつものめちゃくちゃな図形を描かなければならなかった。

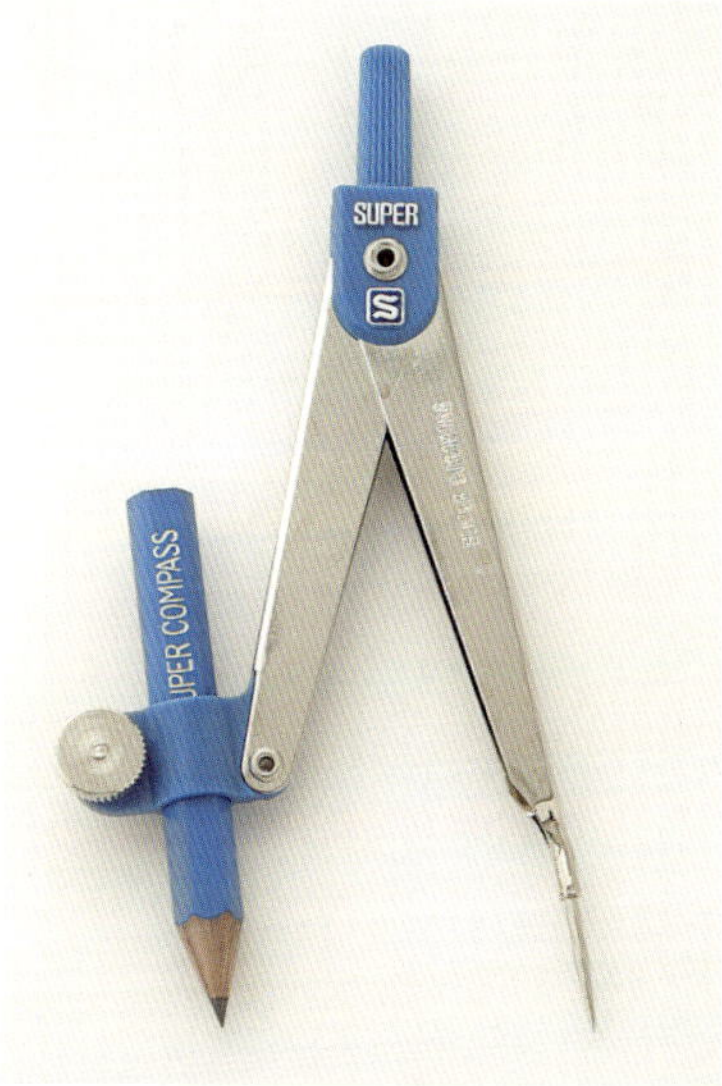

●スーパーコンパス（鉛筆用）

発売年：1954年　価格：262円
問合せ：株式会社ソニック／06-6752-3625

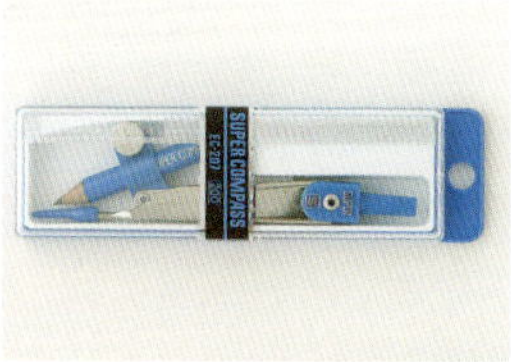

鉛筆使用のタイプやシャープペンシルタイプのほか、専用芯を使用するもの、また、専用芯と鉛筆の兼用タイプがある。小学生当時、特に男子には本体が青いモデルが人気だった

教育おりがみ

折り紙といえば、このトーヨーの青いパッケージである。一見、昔のままだが、実は何度もデザイン変更されており、写真の商品も数年前にリニューアルされたもの。

生まれて初めて自作した折り紙作品は、たぶん五月の節句につくった「かぶと」だったと思う。新聞紙を使い、ちゃんとかぶれる大きさのものをつくった記憶がある。好きだったのは「だまし船」。つまんでいた帆先が一瞬で舳先《へさき》に変わるトリッキーな作品だ。思いっきりふりおろして「パーン！」と鳴らす「紙鉄砲」も楽しかった。

イヤ〜な記憶として残っているのが「あじさい」。ひとりがひとつずつ花びらをつくる幼稚園での共同作業だ。折り方を先生が説明するのだが、途中に出てくる「ここを開いて、つぶします」という言葉がどうしても理解できない。開いてつぶす？　どういうこと？　と戸惑っているうち、ほかのみんなは完了。あまり人前で泣く子どもではなかったが、このときは人生最大の大泣きをしてしまった。隣の女の子の「そんなことで泣くのはおかしい」という落ち着き払った声が、今も耳に残っている。

さまざまな大きさや種類があるが、写真の商品はもっとも一般的なサイズの「17.6×17.6cm」(左)と「15×15cm」(右)。どちらも「金銀入」！　子ども時代、折り紙や色鉛筆などのセットに含まれる「金銀」は、文字どおり輝いて見えた。「最後まで使わないモノ」の代表である

●教育おりがみ

発売年：1954年
価格：左126円(17.6×17.6cm／14枚入)
　　　右126円(15×15cm／27枚入)
問合せ：株式会社トーヨー／03-3888-7821

Zライト

もうすぐ小学生というころ、我が家ではちょっとした騒動が持ちあがった。学習机をめぐる問題である。僕としては、当時、新入学シーズンになるとテレビで盛んにCMが流れたコイズミやくろがねのキャラクター学習机がほしかった。時計、電動鉛筆削り、カレンダー、時間割表、そして蛍光灯などがセットされた「巨大ロボットの操縦席」みたいな学習机だ。が、両親は「一生使えるようなちゃんとした机じゃなきゃダメ！」だと言う。必死で抵抗したが、結局、味もそっけもない大きな木製の机を買うことになった。机には失望したのだが、一緒に購入した黒い「Zライト」は気に入った。シャープかつメカニックなデザインで、一気に大人になったような気分だった。

「Zライト」は、一九五四年、「山田式Z型作業スタンド」として、当初は作業用照明として発売された。その後、学習用スタンドとして売りだすと製造が追いつかないほどの大ヒット商品になり、「Zライト」は学習用スタンドの代名詞になってしまう。当時のキャッチコピーは「三〇分以上勉強する方のスタンド」だった。

このデザインが最初に登場したのは1975年。学習用として以外にも、デザインや設計の現場でも定番のアイテムになっている。同社は70年からオフィス用のデスクスタンドの開発にも着手。「究極のスタンドを育てたい」と名称を「Z-LIGHT」と改める

●Zライト(Z-107)

発売年：1954年(同デザインの発売は1975年)　価格：7140円

問合せ：山田照明株式会社／03-3253-5161

高級事務用紙 玉藻（わらばん紙）

小中学校時代にさんざんお世話になった、いわゆるわらばん紙、もしくはザラ紙と呼ばれていた薄茶色の紙。製造元の讃州《さんしゅう》製紙は新聞用の紙を専門につくっている製紙会社だ。ここでつくった原紙を、老舗《しにせ》の紙問屋である榊《さかき》紙店が加工して販売している。最近ではこの種の紙をほとんど目にしなくなったが、戦争直後、紙不足の時代に「高級事務用紙」として発売された「玉藻」は飛ぶように売れ、それ以来、全国規模で「学校用紙」の定番になったのだとか。ひどく頼りない記憶だが、小売り販売用の段ボールに記された「玉藻」のロゴに、なんとなく見覚えがあるような気もする。

かつては学校で配られる「学級だより」「給食献立表」「保護者会のお知らせ」などなど、あらゆるプリント類が「わらばん紙にガリ版刷り」だった。テスト用紙までがわらばん紙なので、「書いては消し」を繰り返すとケバだってきて、しまいにはビリリと破けてしまう。また、七〇年代の多くの小学校では、「給食のパンを残した人はわらばん紙で包んで家に持ち帰る」なんていう奇妙な「しきたり」もあった。

原紙の製造も加工も、昔から製紙業が盛んだった香川県で行われている。発売年については詳細な資料がないが、少なくとも1955年には売られていたとのこと。かつてのわらばん紙はもっと黒ずんでいたような記憶がある。1000枚5kg入りでのロット販売

●高級事務用紙 玉藻(わらばん紙)

発売年：1950年代前半　価格：販売店によって異なる
問合せ：株式会社榊紙店／087-822-3332

子供のバイエル

「バイエル」といえば、多くの人がこの表紙を思い浮かべるだろう。出版から半世紀以上、装丁などもほぼ変更されずに刊行されつづけているので、少しでもピアノをかじったことがある人なら、この印象的な表紙が目に焼きついているだろう。

などと書きつつ、子ども時代、自宅には別の「バイエル」があった。赤が上巻、青が下巻で、確か表紙に母子のイラストがあったと思うが、ほとんど開いたことはない。

小学校に入学したころ、母親から突然「ピアノを習う気はあるか？」みたいなことをたずねられた。テレビだか本だか、たぶんなにかほかのことに夢中になっていたため、ただ反射的に「うん」と答えたが、数日後、どこからかピアノが届けられた。小さなエレピだったが、玄関から入らないので二階の窓から入れるという。業者の人たちが大げさな機械で吊り上げたりしている光景を、「なんだか大変なことになっちゃったなぁ……」と考えながら眺めていたのを覚えている。もちろんピアノにはなんの関心もなかったので、せっかくのエレピも一カ月後には単なる「棚」と化していた。

●子供のバイエル

発売年：1955年　価格：上下巻各1050円
問合せ：株式会社全音楽譜出版社／03-3227-6270

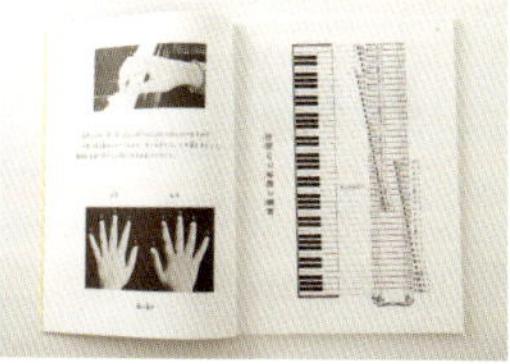

1955年に上巻、57年に下巻が刊行。子ども用ではない青表紙のバイエルも定番だが、その「標準バイエル」も同じく全音の出版物。資料消失で詳細不明だが、「子供のバイエル」よりさらに古い

ぺんてるくれよん

季節は春、あるいは初夏なのだろうか、緑の芝生に向かい合ってしゃがみ、お互いの姿を描く男の子と女の子。そして、二人の背景に広がる湖。もの心がつくころから「ぺんてるの箱」を繰り返し目にしてきた多くの人々にとって、この絵は単なる商品パッケージのデザイン画を超え、「心の原風景」になっているのではないか。

なので、リニューアルされた現行パケのデザインは、正直、ちょっと残念。肝心の絵が片隅に押しやられ、「内容物がひと目でわかる」というコンセプトでリデザインされた。こういう配慮って、デザインを犠牲にしてまで決行するほど重要かな?

この絵の採用は一九五五年。作者は童画の第一人者である宮永岳彦画伯。オカッパだった女の子の髪型がポニーテールになったりと、少しずつ改良されている。注目すべきは二人の距離。初期はつま先がくっつくほどにラブラブだったが、七〇年代初頭あたりから、この微妙な距離。二人の間になにがあったのかは知らないが、この絶妙な距離感こそ、この絵の「ちょっぴり寂しげ」な雰囲気を醸し出しているのだと思う。

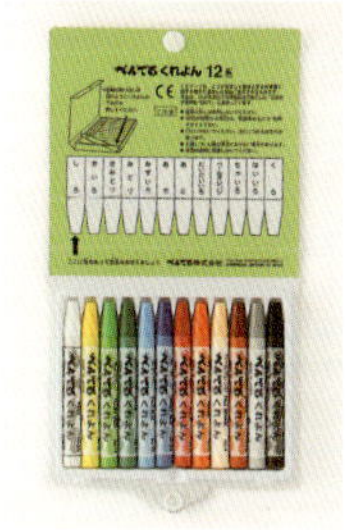

2004年、ぺんてるはパッケージの子どもたちをイメージキャラとして展開するため、名称をネットで公募。男の子が「ぺぺ」、女の子が「ルル」に決定。数年前までは新旧のパッケージが混在して流通していたが、現在はすべて新パケに統一されてしまった

●ぺんてるくれよん（12色）

発売年：1955年　価格：451円

問合せ：ぺんてる株式会社／0120-12-8133

補助軸

チビた鉛筆を最後まで大切に使うためのホルダーである。短くなった鉛筆を差し込み、開口部のネジをまわしてガッチリとホールドして使用する。「モノを大切に使う心」をサポートする素晴らしい製品だ。とはいえ、これが必要になるほどキチンと一本の鉛筆を使い込んだ、なんて子どもは昔も今も少数派だと思う。

しかし、小学生当時は、けっこうな数の子（特に男子）がコレを使っていた。なぜなら「なんかカッコイイ！」から。木の枝のように貧弱な鉛筆が、この「補助軸」によってちょっと「マシン」みたいに見えるのがうれしかったのである。定番は銀色バージョンだが、メタリックなグリーン、ブルーの「補助軸」も人気だった。鉛筆がはみ出るとカッコワルイので、できればスッポリと「補助軸」で覆ってしまいたい。で、なにをするかというと、これはあんまり言いたくないのだが、「ムダに削りまくる」という行為に及んでしまうのである。モノを大切に使うための製品を使うためにモノをムダにしてしまう、というヤヤコシイ状況に、当時はなんの疑問も持たなかった。

オプションつきという感じが魅力の「消しゴム付き補助軸」も人気だった(左)。こちらも健在(「補助軸字消付」2本セット273円)。ゴールド、ブルーの「カラー補助軸」もあり(2本セット294円)

●補助軸

発売年：1955年ごろ　価格：210円(2本セット)

問合せ：株式会社デビカ／052-794-9575

ユニ

「濃いけど硬い」という矛盾に挑戦した「鉛筆の最高峰」。発売時、三菱の一般的な鉛筆「Ｎｏ．９８００」が一本一〇円だったのに対し、ユニの価格は五〇円！　あくまでプロ仕様のツールであり、「最高級製図用鉛筆」という触れ込みで市場に送り出された。が、「必要な人だけが買ってくれればいい」はずの「ユニ」が、予想外に売れまくってヒット商品になってしまう。さすが高度成長期というべきか、小学一年生たちの小さな手にまで「最高級製図用鉛筆」が握られることになったのである。

「ユニ」といえば、子どもたちにとって魅力的だったのはオマケの数々。全長二五センチの「ジャンボユニ」（七一年）からはじまり、「ユニ坊主（穴あき球体消しゴム）」（七二年）、「野菜えんぴつ」（七三年）など、不思議なグッズが多かった。印象的なのは七四年の「星砂」。今では定番の沖縄みやげである星砂を、小窓つきの星形ケースに格納したモノ。沖縄以外では星砂の存在が知られていなかった当時、多くの子どもたちは「な、なんだ、これ？　宇宙の砂か？」と目を丸くしたのである。

筆箱にもなるプラケース入り、しかも消しゴムつきというスタイルも画期的だった。左の写真は「ユニ」の上をいくハイエンド商品「ハイユニ」（1966年の発売。1ダース1764円、1本147円）

●ユニ（1ダース）

発売年：1958年　価格：1134円（1本94円）

問合せ：三菱鉛筆株式会社／0120-321-433

竹尺

七〇年代からすでに「昔の人の道具」というイメージだったが、それでもなぜか一応は所有していた。よく覚えていないが、小学校の低学年のとき、最初に定規を使う授業を行う際、わざわざ「竹の定規を購入しなさい」と学校側から指定されたような記憶がある。「プラ製は気温で精度が落ちるから」みたいなことを言われた気もする。

この商品を見ていてなんとなく気が重くなるのは、これが文具であると同時に教師の「武器」だったからだろう。小学校にも中学校にも、「竹尺」で生徒の手や尻をペシャリとやりたがる教師が必ずいたものだ。特に中学校の数学の教師は一メートルくらいの体罰専用（としか思えない）の「竹尺」を常備し、子どもたちを威嚇していた。

ところで定規といえば、非常に印象的な商品の記憶がある。確か「ローラーメイト」という商品名で、その名のとおりゴム製のローラーが装備された定規なのだ。このローラーで移動させることによって、正確な平行線が引けるのである。当時はテレビCMも放映され、変な赤い宇宙服を着たアニメの少女が商品名を連呼していた。

現在も多数のメーカーから販売されているところをみると、やはり「定規は竹じゃなくちゃ」と思う人が多いのだろう。竹は熱に強く、温度によって伸び縮みしないため、常に正確な計測ができるのだそうだ。小学生時代は、これをランドセルの脇からはみ出させて登校している子が多かった

●竹尺

発売年：1958年ごろ　価格：242円
問合せ：株式会社デビカ／052-794-9575

測量野帳

「測量法」という法律をご存じだろうか？　一九四九年に制定されたもので、日本における測量の基本ルールを定め、測量業務に関わる人々の国家資格などについて取り決めた法律だ。終戦から四年、戦争で破壊しつくされた国土を「復興」させるため、前代未聞の大規模な公共工事が全国各所で計画された時代である。その際に不可欠となる測量業務について、「まず基本ルールを定めよう」というのが「測量法」なのだ。

建設省は多くの民間業者に業務を委託し、測量士がひっぱりダコとなる時代が到来したわけだが、そうなると測量士たちが使用するプロ仕様ツールのニーズが高まる。「測量野帳」は、そうした測量業務の現場の声を反映して開発された測量士用メモ帳なのである。水に濡れてもシワにならない紙を使用したタイプもあり、表紙はハードな樹脂製なので机などがない場所でも立ったまま書き込める。屋外で使い込まれることを前提とした機能性の高さが評判となり、現在では建築現場以外にも、登山や釣り、ダイビング愛好者たちに「最強のメモ帳」として愛用されている。

●測量野帳

発売年：1959年　価格：189円
問合せ：コクヨお客様相談室／0120-201-594

基本デザインは半世紀にわたって変わっていない。中紙に樹脂をベースにした合成紙を使用したタイプもあり、水に濡らして90分間放置してもシワにならないという。製本も超頑丈。どんなにハードな使い方をしても、めったなことでは壊れない。まさに「最強のメモ帳」である

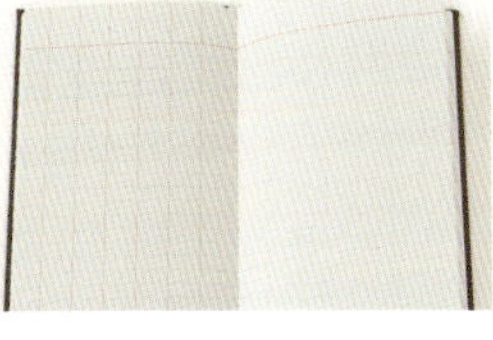

紅白体操帽

紅白帽子のパイオニア、宇高の「ラビット印紅白体操帽」。愛媛に本社を置く宇高は、一九五九年、初めて紅白帽子を開発したことで知られる老舗《しにせ》メーカーだ。

元祖だけあって、宇高製紅白帽の全国シェアは約七〇%。本書では、この高い認知度を考慮して「ラビット印」を紹介するが、実をいえばこれ、個人的には懐かしくもなんともない。「ツバのある紅白帽」など、小学生時代には見たこともなかった。

東京の小学生たちが頭にのっけていたのは、ツバのないツルリとしたタイプ。調べてみたところ、東京や愛知などでは、どういうわけか「ツバなし」が主流なのだとか。「ツバあり」ユーザーには、ツバを頭の真ん中にして赤白半々の状態でかぶり、「ウルトラマン！」と叫ぶギャグがおなじみらしいが、「ツバなし」組にも同種のギャグがある。運動会の応援合戦が盛り上がっているときなどに、やはり赤白半々の状態でかぶって「スイスッ！」と叫ぶのだ。つまり、中立。「オレ、赤組も白組も応援しないもんネ。どっちが勝とうと知らねーヨ！」を示す高度なギャグなのである。

宇髙の紅白帽のなかではもっとも一般的な商品。もちろんアゴにひっかけるゴムひもつき。小学生時代、なぜかこのゴムをガムのようにニチャニチャと噛み、「しょっぱい」なんて言ってるヤツが多かった。そういう子のゴムは伸びまくってしまい、アゴの下までダラリと垂れ下がっていたものである

●紅白体操帽（ツイル）

発売年：1959年ごろ　価格：756円

問合せ：株式会社宇髙／0120-847-235

しろうさぎ紙せっけん

駄菓子屋さんの薄暗い店内には、巻紙火薬ピストルやブーメラン、パチンコなどの野蛮な男の子向け玩具にまじって、かなりの数の女の子アイテムも並んでいた。リリアン、ビーズセット、プラ製宝石つき指輪……そして、この「しろうさぎ紙せっけん」。

女子用駄玩具は男子にとって、その価値も魅力も遊び方もサッパリわからないモノが多い。特に紙石鹸は「謎そのもの」だ。単にスライスした石鹸である。そのなにが彼女たちを魅了するのか？「携帯できて便利」とか「汚れがすごく落ちる」というならわかるが、女の子たちは紙石鹸をほとんど「消費」しないのである。

小学校の休み時間には、ときおり女子たちによる「紙石鹸コレクション展示交換会」が教室のすみで密やかに執り行われた。彼女たちが、あの半透明で薄っぺらな色とりどりの石鹸の向こう側にどんな夢を見ていたのかは知らない。男連中も「なにやってんだ、おまえら」みたいな不用意なちょっかいは出さなかった。なんとなく男子禁制の「秘密の儀式」みたいで、足を踏み入れにくかったのだと思う。

●しろうさぎ紙せっけん(サン)

発売年:1950年代後半　価格:30円〜50円(販売店によって異なる)
問合せ:三鳩化学工業株式会社/06-6729-0039

色と香りとパッケージのかわいさ、そしてすぐにパリッと割れてしまう「はかなさ」は、現代のOLたちをも魅了しているらしい。HPから通販可能
(http://www.sankyu-kagaku.co.jp/)

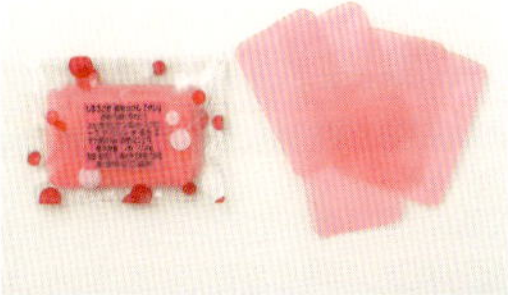

消しゴム付き鉛筆

かなりの長寿商品のためにメーカーにも開発時の資料がほとんどなく、発売年も不明。広報さんの見解としては「一九五〇年代の発売である可能性が高い」とのことだ。

初の国産「消しゴム付き鉛筆」は、おそらくこの三菱製か、あるいはトンボから発売されている同じく黄色軸のものだと思うのだが、「どっちが先か？」の特定はむずかしそう。だが、なぜか「世界初」はハッキリしており、アメリカのハイマン・リップマンという画家の発明なのだとか。一八五八年、彼がすぐに消しゴムをなくしてしまうので、鉛筆の上にニカワで貼りつけた、というのがはじまりらしい。「ほんとかな？」と思ってしまう逸話だが、これはトンボも三菱も認めているところである。

小学生時代、教室にはベルマークで買った電動鉛筆削りがあったが、これに「『消しゴム付き鉛筆』の『消しゴムのほう』を突っ込むとどうなるか？」を試したヤツがいた。「ギュルルル！」という音とともに、あの金具の部分もろとも一応はちゃんと削れるのである。その後、絵筆を削るヤツ、ボールペンを削るヤツなどが現れた。

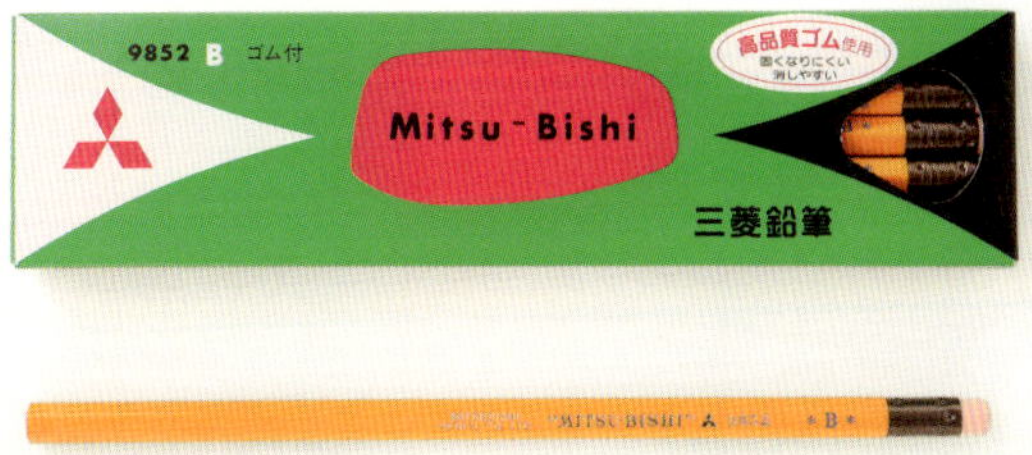

基本的にダース単位での販売が原則で、メーカーは1本売り価格は提示していない。1本ずつ売る店も多いが、あれは店の人がダースをバラして売っているのだそうだ。子どものころ、消しゴム部分がポロリと取れたりして絶望的な気分になったが、現在はゴムの品質がアップしている

●消しゴム付き鉛筆(No.9852)

発売年：不明(1950年代？)　価格：756円(1ダース)
問合せ：三菱鉛筆株式会社／0120-321-433

ハイポリマー芯

この「ハイポリマー芯」が存在しなかったら、七〇年代初頭にスタートする小中学校での「シャーペンブーム」はなかっただろう。この商品の誕生以前、シャープペンシルといえば一・五ミリ程度の太い芯を用いる「繰り出し式」のみ。軸をまわして芯を出すタイプのペンで、かなり扱いにくかったらしい。また、粘土を利用した芯は書き味が悪く、すぐに折れてしまう。で、ぺんてるは粘土の代わりに合成樹脂を使った製品を開発。〇・五ミリという極細芯の商品化に成功し、以降のスタンダードとなる。

替え芯は今では脇役的文具だが、七〇年代は準主役級の商品。各メーカーは新商品を出すたびにテレビCMを放映していた。たいていは「折れない！」を強調しまくる「強度実験」風の内容だったが、なかでもひときわ注目されたのがコーリンの「ゴールド芯」。CMでは、チャップリンがステッキ代わりに黄金の芯をクルクルまわし、妙な高級感をアピールしていた。教室では為替レートならぬ暗黙の「替え芯レート」が設定され、「ゴールド芯」一本は通常替え芯二本と交換されるようになった。

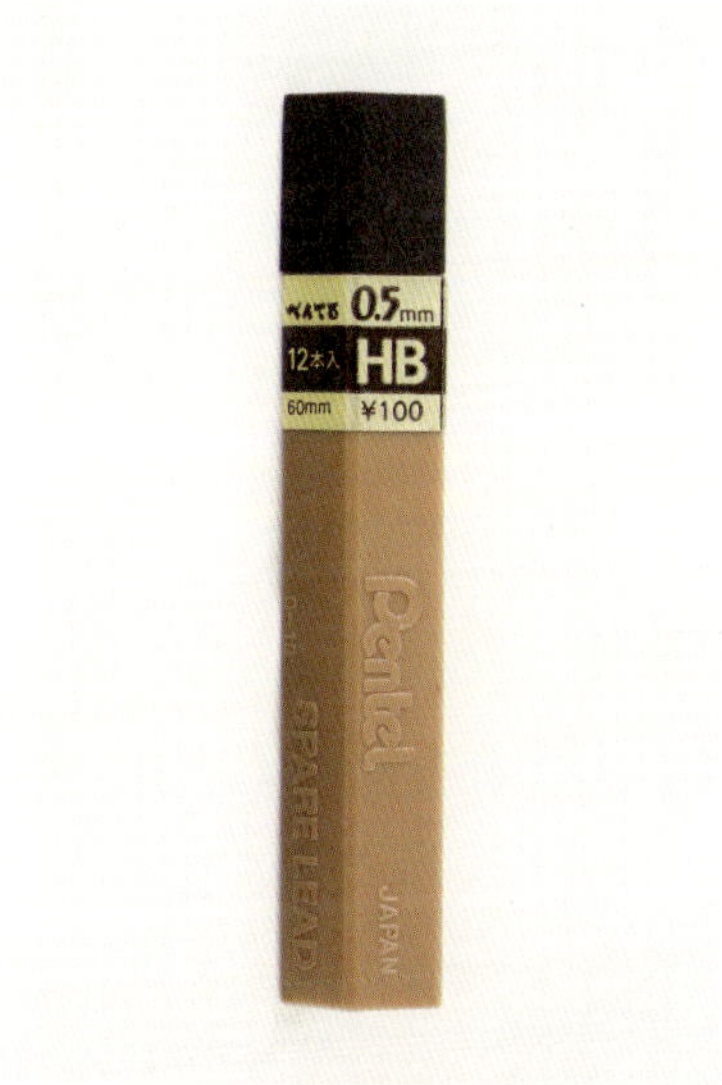

1960年に0.9mm、62年に0.5mmが発売された(現在は0.5、0.2タイプのみ流通)。替え芯は昔も今も透明プラケース入りが主流だが、この「ハイポリマー」はシブい色の菱形ケース。ちなみに、初めて透明ケースを採用したのもコーリンの「ゴールド芯」。「なんとなくクリスタル」な感じのゴージャスなケースだった

●ハイポリマー芯

発売年：1960年　価格：105円

問合せ：ぺんてる株式会社／0120-12-8133

クリアカスタネット

カスタネットはメーカーを特定しにくいが、六〇～七〇年代っ子たちが使っていたのは、この日本教育楽器製か、プラス白桜社というメーカーのものになるらしい。

カスタネットはもっともシンプルな楽器のひとつだが、楽器嫌いの子どもはいくつかの困難を感じていたはず。ひとつは「非常にごまかしにくい」という点。リコーダーやハーモニカ、あるいは歌などは、メロディーや歌詞を忘れても吹いているマネ、歌っているマネが比較的容易だ。しかし、カスタネットばかりはマネというものが不可能なのだ。キチンと打ち鳴らすか、なにもしないかのどちらかしかなく、「打ってるような、いないような」という曖昧《あいまい》な感じが許されないシビアな楽器なのである。

また、個人の感覚にもよるが「恥ずかしい」という難点もある。「打って、休んで、打って、打って」という先生のかけ声も充分に恥ずかしかったが、「休んで」のところで、なんかこう、両の手のひらを上に向け、「肩をすくめてあきれているアメリカ人」みたいな格好での待機を強要させられるのがたまらなく恥ずかしかった。

教育用カスタネットは、昭和初期の「ミハルス」という楽器がもとになっているのだとか。カスタネットが普及しはじめた当初、男の子用は青、女の子用は赤だったが、「同性の兄弟姉妹がいないと“おさがり”が使えない」とか「男女差別！」といった親からのクレームが殺到。で、赤青のカラーになったらしい

●クリアカスタネット

発売年：1960年ごろ　価格：252円

問合せ：日本教育楽器株式会社／03-3431-1631

ヤマハ メロコード

「変える必要がない」のか、あるいは「変える気がない」のか、楽器類は「昔のまんま」度が非常に高い。この「メロコード」も、七〇年代からいっさい変化なし。

普通に吹くと単音が鳴り、ひっくり返すと伴奏用のコードを吹くことができるのが特徴。しかし、小学生時代はどうして両側に吹き口があるのか、まったく理解できなかった。逆側は授業でも使わなかったと思う。「なんだか知らないけど、反対側を吹くと変な音がする」という程度の認識。コードというものを知らなかったのである。

小学校の何年生までハーモニカの授業があったのかは覚えていないが、このハーモニカが「最後のハーモニカ」だった。また、もっとも「長く使用したハーモニカ」でもある。三〇年ぶりで目にしたグリーンのケースからはさまざまなことが思い出されるのだが、再生されるのは「合奏するときは吹くマネだけしてた」「ハーモニカを忘れて先生にひどく怒られた」「吹き口に水を入れてみた」などのしょーもない記憶ばかり。「これでどんな曲を吹いたか?」など、肝心なことはサッパリ覚えていない。

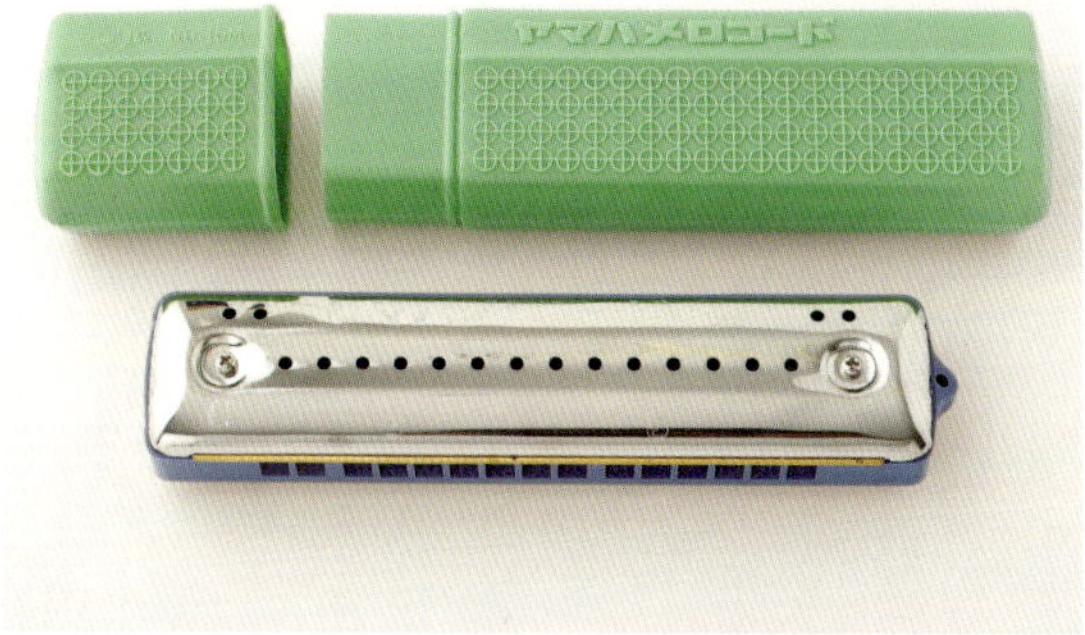

メーカーにも詳細な資料が残っておらず、発売は1960年か61年のどちらか。今考えると、コードという概念を教えるには非常に優れた楽器だと思うのだが、授業では活用されなかった。なぜわざわざこの商品を「学校指定」にしたのだろう？　姉妹品に「ヤマハ ツーライン」があり、こちらは片側がハ調、逆側がヘ調

●ヤマハ メロコード

発売年：1960年ごろ　価格：1680円

問合せ：株式会社ヤマハミュージックジャパン／03-5488-1686

ミッキーナイフ

「『ボンナイフ』でしょ?」と思う人も多いだろうが、この種のナイフは「東の『ボン』、西の『ミッキー』」ということになっているらしく、ほぼ同時期に東京では「ボンナイフ」、大阪ではこの「ミッキーナイフ」が流通していた。残念ながら僕が親しんだ「ボン」のほうはすでに絶滅したが、「ミッキー」は健在。メーカーの坪米製作所は、ハサミなどの刃物類のほかに絵画用品や書道用品をつくる会社である。

社長さんにお話をうかがったところ、「ミッキーナイフ」の製造をつづけるのは、今ではかなりむずかしくなっているらしい。サヤの内部にキラキラした金属板が入っているが、これを加工する職人さんが少なくなってしまったのだとか。かつては金属板に色をつけたモデルもあったが、現在はシルバーのみ。「わりの合わない仕事」だが、半世紀を超えるロングセラー商品なので「意地でつくってるんだ」とのこと。

近ごろの子はナイフで鉛筆ひとつ削ることができないようだが……とかなんとか書いて文章をシメたいところだが、実は僕も電動鉛筆削りに頼りきった世代である。

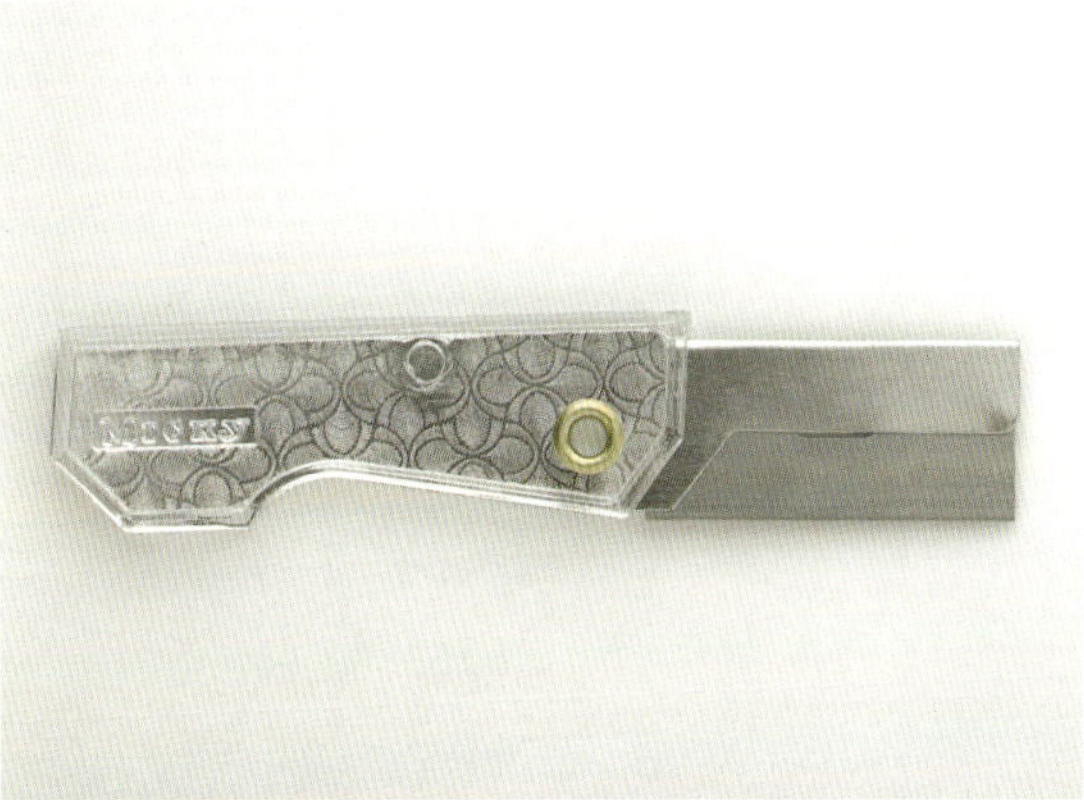

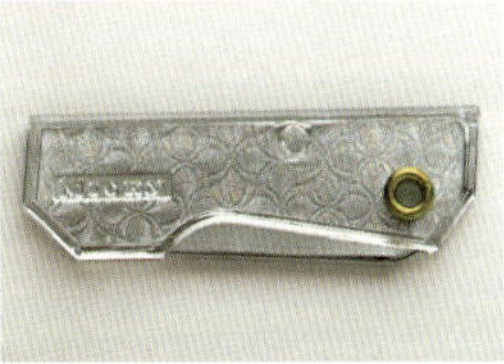

この種のナイフは、かつては街の文具店、駄菓子屋さんの定番商品だった。鉛筆削りという実用目的で買う子は少なく、男の子がそっとポケットにしのばせる「お守り」のようなものだったと思う

●ミッキーナイフ

発売年：1960年ごろ　価格：84円

問合せ：株式会社坪米製作所／06-6792-8855

カラーハーモニカ

「カラーハーモニカ」は、教育用ハーモニカの定番「サカホーン」（まだある）を製造している日本教育楽器が、一九六一年に発売した日本初のプラ製ハーモニカである。五〇年代後半から六〇年代後半までに生まれた人の多くが、このユニークなプラスチック製ハーモニカを記憶しているはず。生まれて初めて手にしたハーモニカがこれ、という人も多いだろう。七〇年代は多くの幼稚園で採用されていた。当時はグリーン（男の子用）とピンク（女の子用）のモデルもあったそうだ。六〇年代のピーク時には年間一〇〇万本ペースで出荷され、六六年にスリムだった初期型から現行品にリニューアル。カラーも現行品のブルーに統一されている。

個人的には、この「カラーハーモニカ」と、やはり園児のころに与えられた青いプラスチック製のパンフルートみたいなものが、数少ない「好感の持てた楽器」だった。小学校でキチンと習うようになってからは「楽器は苦手」という感覚を植えつけられたが、このころはみんなと一緒にただ「プープー！」と吹き鳴らすだけで楽しかった。

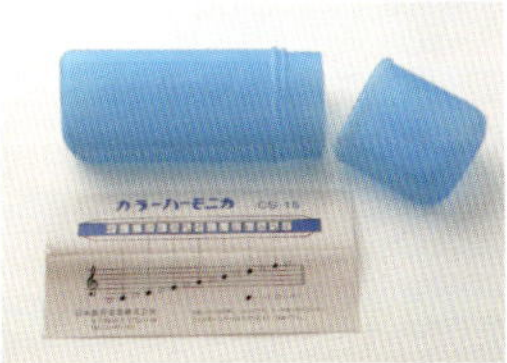

かつては30社以上あったハーモニカメーカーも、今では片手で数えられるほどになってしまった。最近の学校では「鍵盤ハーモニカ」(ピアニカ)が主流なのだそうだ

●カラーハーモニカ

発売年：1961年　価格：1260円
問合せ：日本教育楽器株式会社／03-3431-1631

BICボールペン（オレンジビック）

もの心がついたときから「そのへん」に転がっていたし、『ゲゲゲの鬼太郎』の「目玉おやじ」の頭だけを黒くしたような「ビックボーイ」もおなじみのキャラ。あまりに普及率が高いため、逆にBICというブランドを意識して使っている人は少ないのではないか？　個人的にも、商売人だった祖父が帳簿つけなどに使っているのを幼少のころから見ていたため、「ダサい事務用ペン」みたいなイメージを漠然と抱いていた。

しかし、実はBICって「おフランス産」。そういわれてみると「黄色い軸に黒、赤、青のキャップ」というデザイン、なにやら機能美にあふれたスマートなものに思えてくる。また、もっとも一般的なミディアム（一・〇ミリ）は「速記用」として開発されたものだという。そのへんを意識して使ってみると、ほかのボールペンとは明らかに違うスムーズなタッチにビックリ……みたいな気分にもなってしまうのである。

数年前から、コジャレた輸入文具店などには、BICコーナーが設けられていたりする。若い世代のほうが、このトラッドな魅力を素直に感じとれるのかもしれない。

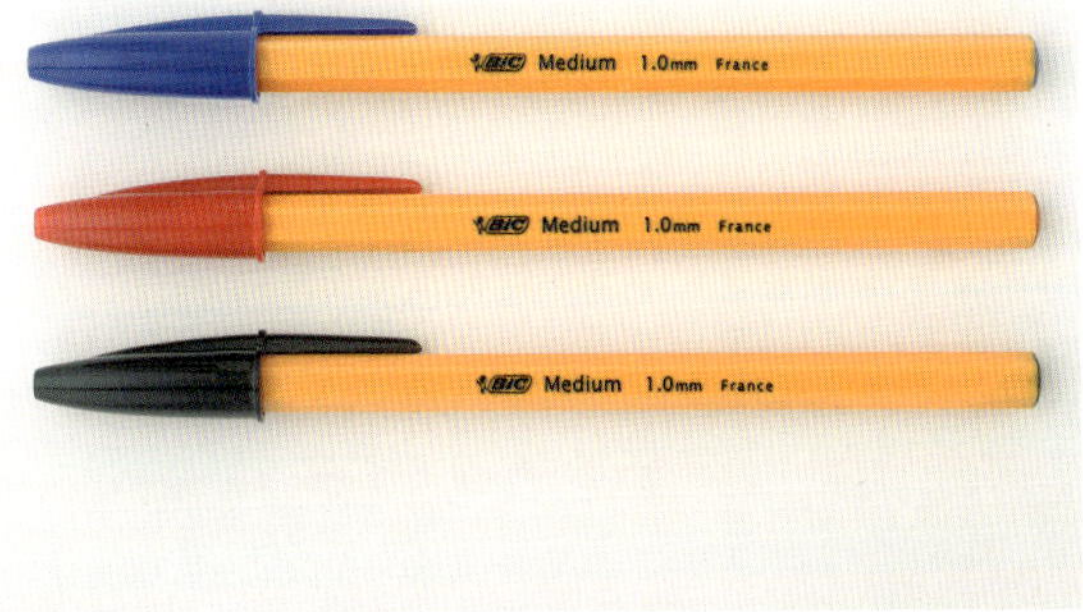

軸の刻印が黒字のものが最新版。現在、店頭在庫には白字刻印の旧バージョンがまざっている。また、旧式は軸の形状も違っていて、頭の部分がプクッとふくらんでいる。BICはよく企業の粗品に利用されるが、さまざまな会社名が刻印された「粗品版BIC」を集めるコレクターもいるのだとか

●BICボールペン（オレンジビック／ミディアム1.0mm）

発売年：1964年　価格：84円

問合せ：BICジャパン株式会社／03-5542-3050

ソフトペン（採点ペン）

別名「採点ペン」。本来の正式商品名である「ソフトペン」より、こっちの呼び名でおなじみになっている商品だ。「採点・チェックに最適!!」のキャッチコピーどおり、先生御用達のツールである。とはいえ、僕自身、学生時代にこのペンを目にした記憶はない。教師の持ちものなんぞをシゲシゲと観察したことはないが、記憶では小中学校の先生が使っていたのはぺんてるの「サインペン」（一九六三年発売。世界初の携帯用水性ペン）だったような気がする。が、周囲の人々に聞きまわってみると、世代や地域に関係なく、やはり多くの先生が「採点ペン」を愛用していたようだ。

メーカーによれば、もともと「ソフトペン」は先生をターゲットに開発されたものではなかったらしい。当初のウリは「インクカートリッジが交換できるマーキングペン」。なぜ答案用紙にマルをつける用途に特化されたのか、メーカー側も正確には把握していないが、「インクが交換できて経済的だからかも」とのこと。今ほど文具が低価格ではなかった当時、学校備品として経済性が重視されたのかもしれない。

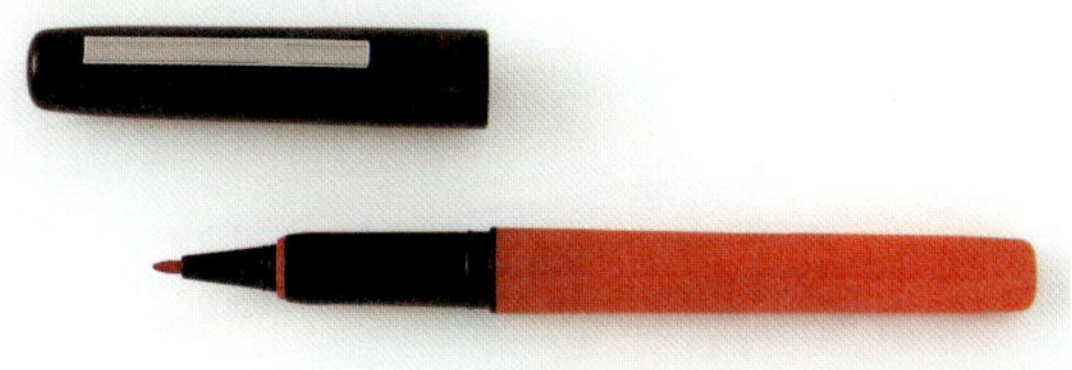

インクカートリッジとスペアチップ(ペン先)つき。今ではちょっと割高感のあるお値段だが、なんだか「プロのツール」という感じがカッコイイ。写真の赤軸のほか、黒インクつきの黒軸がある。1991年にはインク残量が外から見えるクリア軸も発売されている

●ソフトペン(採点ペン)

発売年：1964年　価格：840円
問合せ：プラチナ萬年筆株式会社／0120-875-760

ラッションペン

大人になって以降、その存在を完全に忘れていたので、ネタ探しのために入った文具店で期せずして再会したときには、一瞬、変な幻覚を見たような気分になってしまった。長らく放置されていた過去のデータが脳内にリロードされた瞬間である。

コレが「ラッションペン」という商品名であることは今回初めて知ったが、要するに水性カラーペンだ。七〇年代初頭あたりまで、カラーペンといえばコレしかなかったのではないかというほどの定番商品だった。現在は硬めの透明プラスチックケースで売られているが、当時はペラペラしたビニール製のソフトケース入り。中身のペンの形状や「?」マーク、商品名ロゴなどは恐ろしいほどに昔のままである。

親が仕事で使っていたため、文字が読めるようになる以前からこの商品を見慣れていた。その当時は、「ラッションペン」のロゴを模様のようなものとして把握していたのだと思う。記憶というのは不思議なもので、今もこのロゴをジーッと眺めていると幼児期の感覚がジワジワとよみがえり、文字が無意味な記号の羅列に見えてくる。

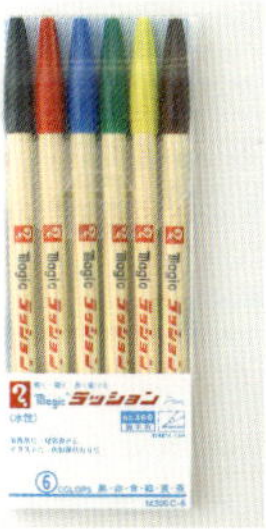

1964年は単品での発売年で、6色のセットでの発売は69年。現在は単色1本売り(73円)から「20色セット」(1680円)までのラインナップ。同シリーズに事務用に特化した「ラッションシルバー」、子どものお絵描き用に芯を太くした「ラッションカラー」がある

●ラッションペン

発売年：1964年　価格：493円(6色セット)

問合せ：寺西化学工業株式会社／06-6928-3101

スクラップブック

たとえば「おそば屋さんの出前バイク＝スーパーカブ」というように、その商品のイメージがあまりに強すぎて、それ以外の商品が思い浮かばない特定のジャンルというものがある。実際には、スズキ「バーディー」とかヤマハ「メイト」とか、似たような業務用バイクは各メーカーが何十年も前から出しているし、それなりのシェアも獲得しているのだが、それでも出前バイクといえば昔からホンダの「カブ」なのである。

このコクヨの「スクラップブック」も、「これ以外思い浮かばない」と言わせてしまう商品の代表だろう。現在の市場にはさまざまな新参者の「スクラップブック」が出まわっており、糊が不要なポケットつきや、ページが自由に増やせるものなど、高機能をウリにしたものがいくらでもある。が、夏休みの宿題の新聞スクラップに取り組む小学生から、プロの研究者や記者まで、やはり「スクラップブック」はコクヨを買ってしまうのだ。シンプルだからこそ使い方の自由度が高いという面もあるが、「これじゃなきゃスクラップしてる気がしない」というユーザーが多いのだと思う。

僕自身は小4のときに「天声人語スクラップ」の宿題を出され、初めて手にした。そのときから仕様にもデザインにもいっさい変更はない。上質クラフト紙を使用したシンプルで頑強な構造で、質感もいい。サイズはB5、A4、A3の3種、中紙の枚数はそれぞれ28枚

●スクラップブック(A4／28枚)

発売年：1964年　価格：388円

問合せ：コクヨお客様相談室／0120-201-594

NEWアーム筆入

「ゾウが踏んでも壊れない」という名作CMでおなじみの「アーム筆入」。といっても、六〇年代後半生まれの世代にはCMの記憶はかなりおぼろげ。「一〇〇人乗っても大丈夫!」という「イナバ物置」のCMとの区別が曖昧《あいまい》だったりする。

もちろん、現行品も「最大耐加重一・五トン」。ゾウに踏まれることを前提とした過剰な頑丈さは継承されている。素材のポリカーボネートは、信号機のライトカバーに使用されている樹脂。昭和三〇年代、テレビで「信号機に石を投げるカミナリ族(今の暴走族)」を目にしたサンスター文具社長が、石が当たっても割れない信号機に注目。「あれで筆箱をつくろう!」と思いついたのがヒット商品誕生のきっかけだ。

七〇年代、発売元のサンスター文具は、今も語り継がれるヒット商品を連発している。「ダイヤルロック筆入」「電子ロック筆入」、水に溶ける「スパイメモ」などが入った「スパイパック」(すべて七〇年発売)、そして社会現象にもなった通称「ニコちゃんマーク」の「ラブピースシリーズ」(七二年発売)。恐ろしいまでの企画力である。

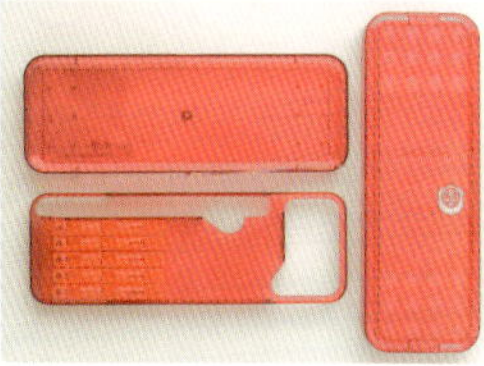

CM放映は発売から2年後の1967年より。これによって販売本数は増えつづけ、5〜6年後には累計500万本を記録した。現行品は97年の発売。「日本PTA全国協議会推薦商品」である

●NEWアーム筆入

発売年：1965年　価格：840円

問合せ：サンスター文具株式会社／03-3872-7101

ギターネオくれよん（なかよし）

『まだある。食品編』の「アラビヤン焼そば」の項でも触れたが、その昔、「人形写真」は子ども向け商品のパッケージや広告デザインの定番だった。背景には六〇年代の「人形劇ブーム」があるわけだが、特によく目にしたのが、この「ネオくれよん」の箱にも採用されているエキゾチックな「民族衣装人形」。「アラビヤン焼そば」のターバン坊や、ネイティブアメリカンの「シスコーン」坊やも同類だし、各国の衣装を着た複数の人形の集合写真も氾濫《はんらん》していた。この傾向、いったいなんだったのか？

で、調べてみた。「民族衣装人形」といえばディズニーランドのアトラクション「イッツ・ア・スモール・ワールド」。もともとは一九六四年のニューヨーク万博の展示企画だ。これによって「民族衣装人形」は万博のイメージのひとつになったらしく、日本でも大阪万博開催前後、特に子ども向け商品にはやたらと万博便乗的な「民族衣装人形」が使われるようになったらしい。当時、エポック社から「スモール・ワールド」の公式人形が、「ジャルパックドール」(笑)の名で発売されたりしている。

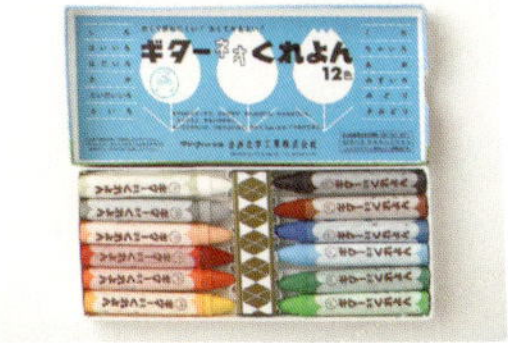

箱の中身は、クレヨンが6色ずつ向かい合わせに並ぶ珍しいレイアウト。ほかに16色セットもある（504円）。また、同社のクレパス「ギターネオパス」シリーズも健在（12色378円～）

●ギターネオくれよん（なかよし／12色セット）

発売年：1966年　価格：441円

問合せ：寺西化学工業株式会社／06-6928-3101

水中モーター

小学生時代の夏休み明けには、この「水中モーター」を活用した「自由研究の工作」が必ず教室に展示されていた。今もタミヤの「楽しい工作シリーズ」の定番商品だ。

オリジナル商品を知る人なら、「え？　タミヤ？」と思うはず。また、「こんな黄色いヤツじゃなかっただろ？」という人も多いだろう。そう、「水中モーター」といえば、赤と白のマブチ製。一九六七年に発売されたのだが（赤白になったのは七一年。もっと年配の人には青白がおなじみ）、九七年に惜しまれつつ生産中止。しかし二〇〇二年、タミヤがマブチの金型を継承してよみがえらせてくれたのである。

「どんなモノでも動力つきの船になる」というこの商品、遊び方は無限大。よく楽しんだのは、「バスクリン」（ツムラ）や「シャワシャワ」（ライオン）を入れた石鹸箱に「水中モーター」を装着し、お風呂の中を航行させる遊び。少しずつ波を起こして「沈没の危機」を楽しみ、最後は転覆させて入浴剤の鮮やかなグリーンが浴槽に広がるのを眺める。ひとときの『ポセイドン・アドベンチャー』なのである。

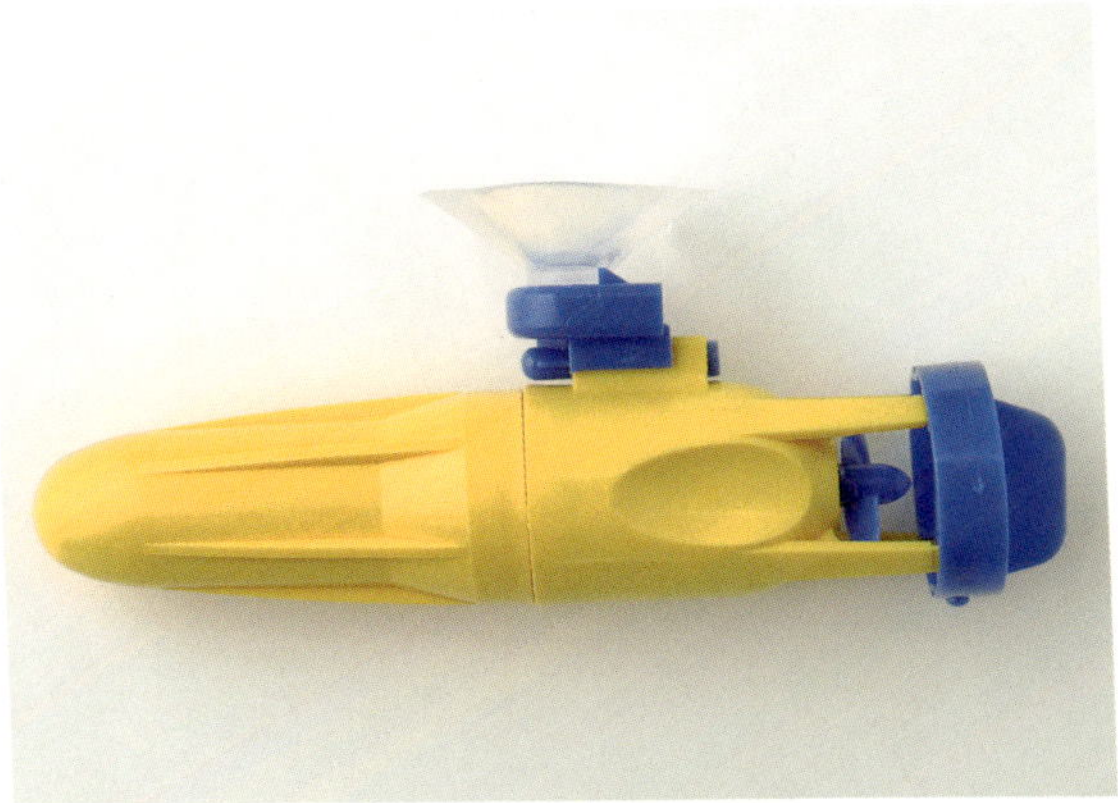

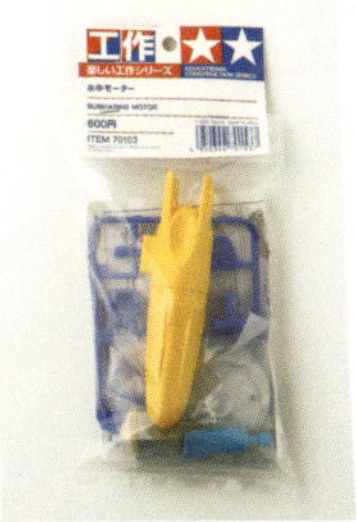

マブチ時代は完成品での販売だったが、タミヤ製は組み立てキット。写真の通常版のほか、青いボディーの「ミニ水中モーター」(735円)、赤い「ミニ水中モーター高速タイプ」(777円)などがある

●水中モーター

発売年：1967年(2002年)　価格：735円

問合せ：株式会社タミヤ／054-283-0003

アルファジェットラン

小学校低学年時代、羨望《せんぼう》のまなざしで眺めつづけた「憧れの一品」である。僕の小学校の指定上履きは一三六ページにあるようなゴムベルトがついたキャンバス地の古典的タイプだった。学校指定品を取り扱う商店街の靴屋さんに行くと、その布製上履きの隣に、他校の指定靴として「アルファジェットラン」が燦《さん》然と輝いていた。流線形のデザイン、鮮やかなカラー（特にコバルト色）、そして継ぎ目や縫い目がなく、いかにも「化学素材」という感じの風合いは、なんだか近未来的でSFチック。とにかくカッコよく見えたのだ。他校の生徒を心の底からうらやんだのを覚えている。

実際、この商品は当時としては画期的な製法でつくられていた。溶かした塩化ビニールを金型に射出し、一挙に成型する「インジェクション製法」というもので、これによって型くずれしにくく、水や汚れにも強い新しいタイプの子ども靴が誕生したのである。もともとは一九六三年に同社から「ジェットラン」というビニール靴が発売されており、これを新製法によって進化させた商品なのだそうだ。

このデザイン、やはり今見ても非常に魅力的だし、キュートである。どことなく藤子・F・不二雄的なフォルムなのだ。現在では上履きとして販売されるが、汚れに強いこともあって、発売当初は外履きとして売られたそうだ。現在のカラーは上のシンソラのほか、キイロ(写真左下)、シロ／アカ(写真下右)、シロ。発売時はシロ、コバルト、ソラの3色だった

●アルファジェットラン

発売年：1967年　価格：オープン価格

問合せ：株式会社ムーンスター カスタマーセンター／
0800-800-1792

トーカイグラフィック学習帳

表紙に動植物のカラー写真を掲載した「図鑑系学習帳」といえば、誰もが「ジャポニカ」を連想するだろう。が、六〇年代後半、つまり「ジャポニカ」誕生の数年前に、複数の会社が同種の学習帳を発売している。今も当時の面影を色濃く残す「トーカイ」は、もっとも初期の「図鑑系学習帳」のひとつ。発売当初は子どもたちの日常風景などを表紙にしていたが、「動物もの」に切り替えて売り上げを伸ばした。

七〇年代、「ライオン」や「ゾウ」など、強そうな動物を表紙にしていた「トーカイ」は、小動物と昆虫主体の「ジャポニカ」よりも男の子の支持率は高かったと思う。「学習帳＝『ジャポニカ』」が定着した現在、実際は「トーカイ」派であったにもかかわらず、そのことをすっかり忘れて、漠然と「自分は『ジャポニカ』を使っていた」なんて勘違いをしている人も多いはず。そうした人は、ぜひ現行品の「トーカイグラフィック」をチェックしてほしい。「七〇年代からほとんど写真を変えてません」という「トーカイ」の表紙は、まさしく青天の霹靂《へきれき》となるであろう。

発売当初は、体育の授業を受けている子どもたちなどを被写体にした「学童写真」を表紙にしていた。動物に変更してからは、なんと40年間にわたって写真の更新はなし！　が、一部、「ライオンの顔のアップ」などは「子どもが怖がる」などのクレーム（笑）があったために差し替えられている

●トーカイグラフィック学習帳

発売年：1968年　価格：105円〜178円

問合せ：アピカ株式会社／048-963-0111

ねんど消ゴム

お鍋でグツグツと一〇分間煮ると、消しゴムに変身してしまう不思議な粘土。

これを消しゴムと呼んでいいのであれば、この「ねんど消ゴム」こそ、生まれて初めて自分専用に買ってもらった消しゴムだったと思う。幼稚園に入るか入らないかというころのことなので、消しゴムを使う機会も必要もなく、そもそも消しゴムという概念すらなかったかもしれない。「ローネンド」などと同種のオモチャとして買ってもらい、「お鍋がゴム臭くなるからやめて」という母親の嘆願をいっさい無視して、持てる芸術性のすべてを発揮しながら、日夜、奇怪な消しゴムの製造に明け暮れた。

この自作消しゴム製造への情熱は、小学校に上がったころについえ去った。自分でつくらなくても、「いろんな形の消しゴム」が商品として登場しはじめたからだ。怪獣、スーパーカー、アイドル、スポーツ選手、アニメキャラ。時代のブームをいち早く反映し、次々に現れる無数の「消えない消しゴム」たち。もはや自作している暇などなく、ひたすら「ガチャガチャ」に二〇円を投入する日々がはじまったのである。

●ねんど消ゴム

発売年：1968年　価格：210円
問合せ：ヒノデワシ株式会社／03-3619-0456

チクワブみたいな形状も、独特の色合いも、ほのかなゴム臭さも昔のまま。同社からは、「スーパーボールもつくれる！」がウリの次世代自作消しゴムキット「おゆまる」も販売されている

フエルアルバム

東京オリンピック前後に、日本ではハーフサイズカメラブームが起こっている。安価で操作も簡単なカメラが続々と登場し、日本は旧西ドイツを抜いて世界一の「カメラ大国」になった。そこで問題となったのが、大量の写真の保管方法。当時からアルバムは普及していたが、アルバムに貼りきれなかった数枚の写真のために、もう一冊、新たなアルバムを買わなければならない、ということに誰もが頭を悩ませていた。

これを解決したのが、中林製本手帳（現・ナカバヤシ）の社長。息子がラジオのアンテナを伸ばしたり縮めたりして遊んでいるのを見て、「長さを調節できるビスを使えば、台紙を自由に増やせるアルバムができるのでは？」と思いつく。こうして誕生したのが、我々世代にはアルバムの代名詞ともなっている「フエルアルバム」である。

が、当初は問屋から相手にされなかった。まず輸出先のアメリカで大ヒットを記録し、その後、「海外からやってきたアルバム」というコピーでＣＭを打つ。特に『新婚さんいらっしゃい！』放映時のＣＭで認知度を広げ、日本でも一気に普及した。

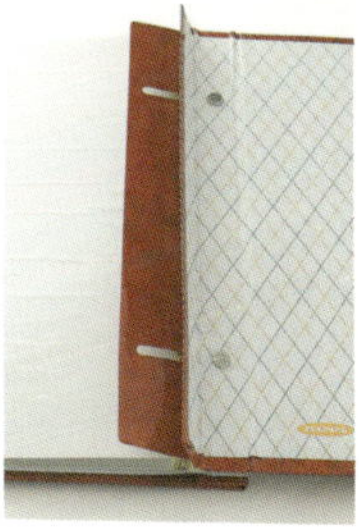

70年代から定番のベーシックなギフトアルバム。昭和の家族写真は、たいていこのゴージャス感あふれる重厚なアルバムにまとめられていた。ちなみに「フエルアルバム」以前は、リング綴《と》じや大和綴じ（和装本の綴じ方）によって製本されたアルバムが主流だった

●フエルアルバム（ローズ Sサイズ）

発売年：1968年　価格：1575円

問合せ：ナカバヤシ株式会社／0120-166-779

第一のカラー竹馬

「♪たん、たん、竹馬、カラー竹馬」のCMで四〇代以上の人にはおなじみ。広〜い草原のような場所で、丘の向こうから竹馬にのった子どもの群れがカメラに近づいてくる……みたいなCMだった。「第一のカラー竹馬で、健康なお子さまに育てましょう。デラックスゴールドもあるよ！」という最後のナレーションも印象的だった。

が、「カラー竹馬」を買ってもらったことはなかったし、そもそも竹馬というものに乗った記憶がない。「ローラースルーGOGO」（一九七六年にホンダから発売された元祖キックボード）や第一次ブーム期のスケボーなど、乗り物系玩具にはひととおりハマったのだが、僕らの世代は竹馬やホッピングとは縁が薄かったと思う。

九二年、竹馬は学習指導要領の体育科の授業に一輪車とともに取り入れられた。「カラー竹馬」も多くの学校に配備され、むしろ我々世代よりも平成っ子たちに親しまれているようだ。ちなみに、CMで印象的だった「デラックスゴールド」は残念ながら消滅。実物を見たことはないが、キンキラキンの黄金竹馬だったのだろうか？

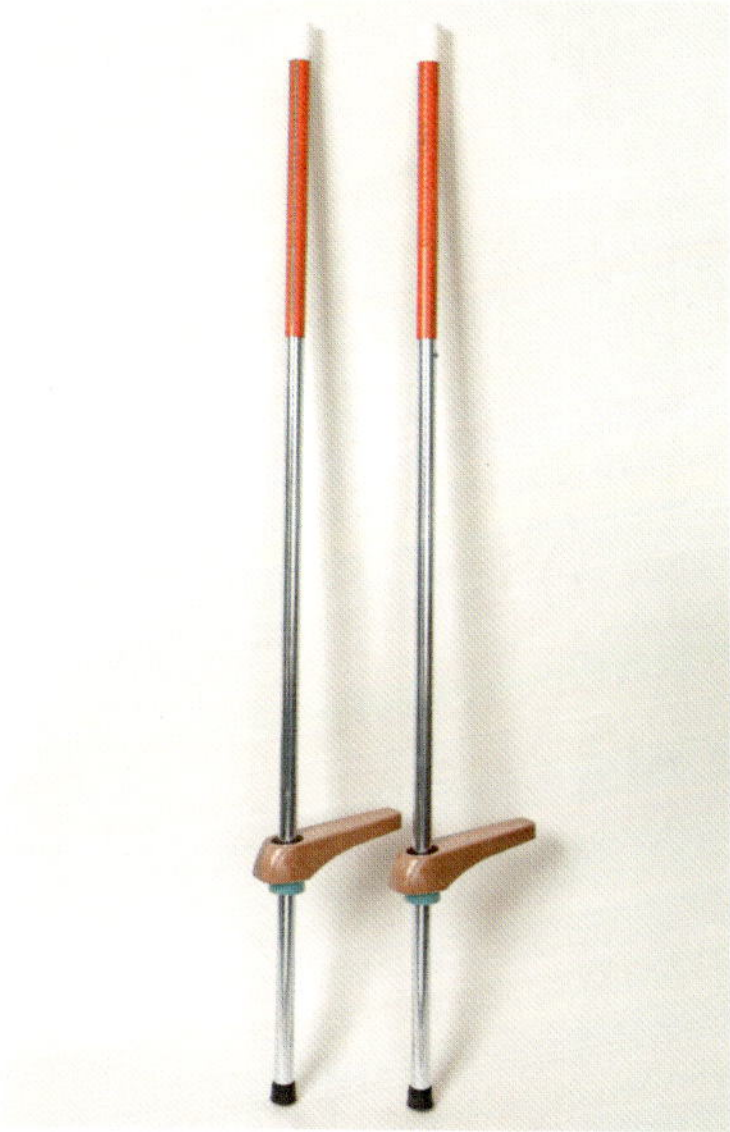

●第一のカラー竹馬

発売年：1969年ごろ
価格：3360円～4620円
問合せ：株式会社第一／0284-63-1121

写真は通常タイプの中サイズ(3570円)。大・中・小のサイズが選べるほか、子どもの成長に合わせてフレームが伸縮するスライドタイプもある。鈴が内蔵されていて、歩くたびにチリンチリンと鳴る工夫は発売当初から

トンボシングル

七〇年代に小学生だった人なら、この「トンボシングル」かヤマハ製の「メロコード」や「ツーライン」、あるいは「スズキシングル」（鈴木楽器製作所）を愛用した時期があるだろう。この四つが、当時の学校指定ハーモニカの定番だったはずだ。

幼稚園の年長組か、小学校に入学してすぐあてがわれたのが、この「トンボ」の二穴だったと思う。しばらくして、より複雑な「メロコード」に切り替えられた。

楽器全般が苦手だったので、あちこちの穴を変な手つきで押さえつづけなければならないリコーダーなども大嫌いだったが、すでにハーモニカの段階でつまずいていた。そもそも、横に広がっている人間の口に対して吹き穴が圧倒的に狭すぎ、正確にひとつの音を出すことすらままならない。ドを吹くと、一緒にミが鳴ってしまうのである。また、「吹く」「吸う」を交互に行って音階を鳴らすことになっているのに、ラとシの順番だけは「吸う」「吸う」という超法規的処置がとられており、これが非常にややこしい。当時の感覚では、「ラとシがいっぱい出てくる曲＝むずかしい曲」だった。

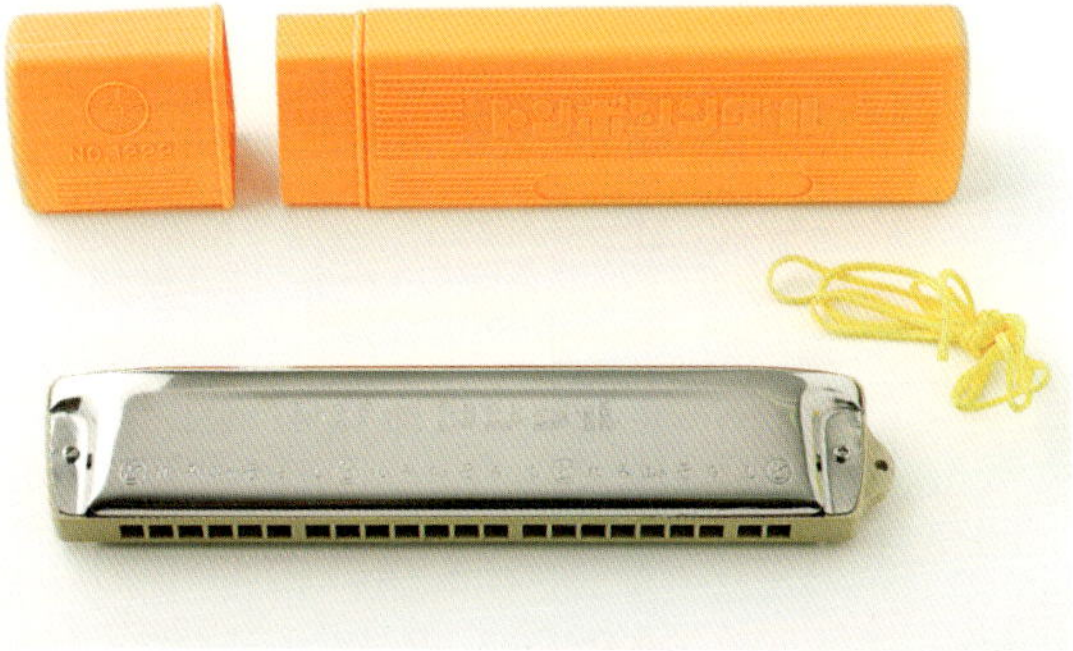

15穴のトンボシングルも所有していた記憶がある。ハーモニカのことを調べていると、不思議なことに「あ、これも持ってた」というモデルがポロポロ出てくる。すべて幼稚園や小学校であてがわれたのだと思うが、そんなに何本もとっかえひっかえ使ったのだろうか？

●トンボシングル(22穴)

発売年：1960年代後半　価格：1575円

問合せ：株式会社トンボ楽器／03-3802-2105

ダイモ

不思議なマシンである。これが流行《はや》ったのは七〇年代のはじめごろ。近所の「タオル屋のタカシ君」が愛用していたことを覚えている。彼はレーザー光線銃みたいな「ダイモ」をカチカチ鳴らしながら、オモチャにも自転車にも本にも、ありとあらゆるモノに「TAKASHI」と印字されたテープを貼りまくっていた。「妙なことをするなぁ」と思って見ていたが、プラスチックのテープに文字が浮かび上がる、というのは不思議だったし、当時のSF映画に登場する巨大なコンピューター、あのカタカタと帯状の紙を吐き出す意味深なキカイのようで、ちょっとカッコよかった。

「ダイモ」の不思議なレトロフューチャー感は今も多くの人をひきつけており、ネット上にも熱烈な愛好者のサイトが並ぶ。いくらでも凝ったラベルをPCで出力できる現在、基本的に英字と数字しか打てない「ダイモ」に執着する理由はないはずだ。が、「ダイモ」に魅せられた人にとって、あの極めて単純な書体が立体的に刻印されたプラ製テープのアナログな「美しさ」は、まさしく唯一無二のものなのだろう。

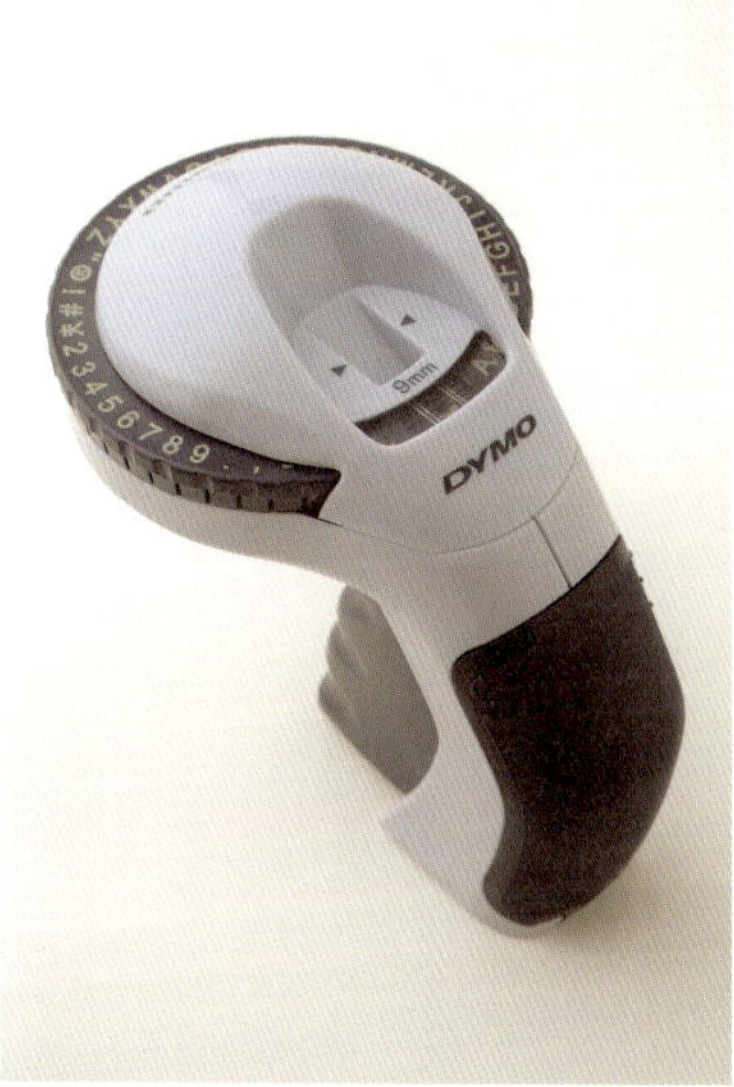

●ダイモ(オメガ)

発売年：1960年代後半　価格：2520円
問合せ：ダイモ販売株式会社／03-3721-5964

50年代に輸入されたという説もある。近年は漢字も打てる「テプラ」(キングジム)に押され気味。写真の「オメガ」は70年代の「ダイモミニ」「ダイモちび」の後継機にあたるコンパクトなモデル

ポインターペン

別名「指示棒ボールペン」。かつては駄菓子屋さんで売られる「駄文具」の代表だった。オモチャ的な要素は少ないが、多くの子ども（特に男の子）が魅了された。最初からオモチャとして企画された商品ではないはずだが、なぜか子どもの好奇心を刺激したのだろう。子どもというのは、ときどき変なモノに魅力を見出すのである。

三、四歳のとき、近所の工具店の店先に飾られていた「ペンライト」に執着したことがあった。で、クリスマス直前、その時点では実在を疑ったことなどない「サンタさん」に、「ペンライトがほしいです」と手紙で依頼。母親はなぜか困った顔をして「そんなのクリスマスらしくない。ちゃんとしたオモチャを頼みなさい」と言うのだが、「らしい、らしくない」の問題ではない。ほしいのは「ペンライト」なのだ。

で、クリスマスの朝、枕元に「ペンライト」が置かれていたことには感激したが、もうひとつ、頼んでもいない「クリスマスらしい、ちゃんとしたオモチャ」の箱が置いてあった。「これはいったい、どういうことなのか？」と首をひねった。

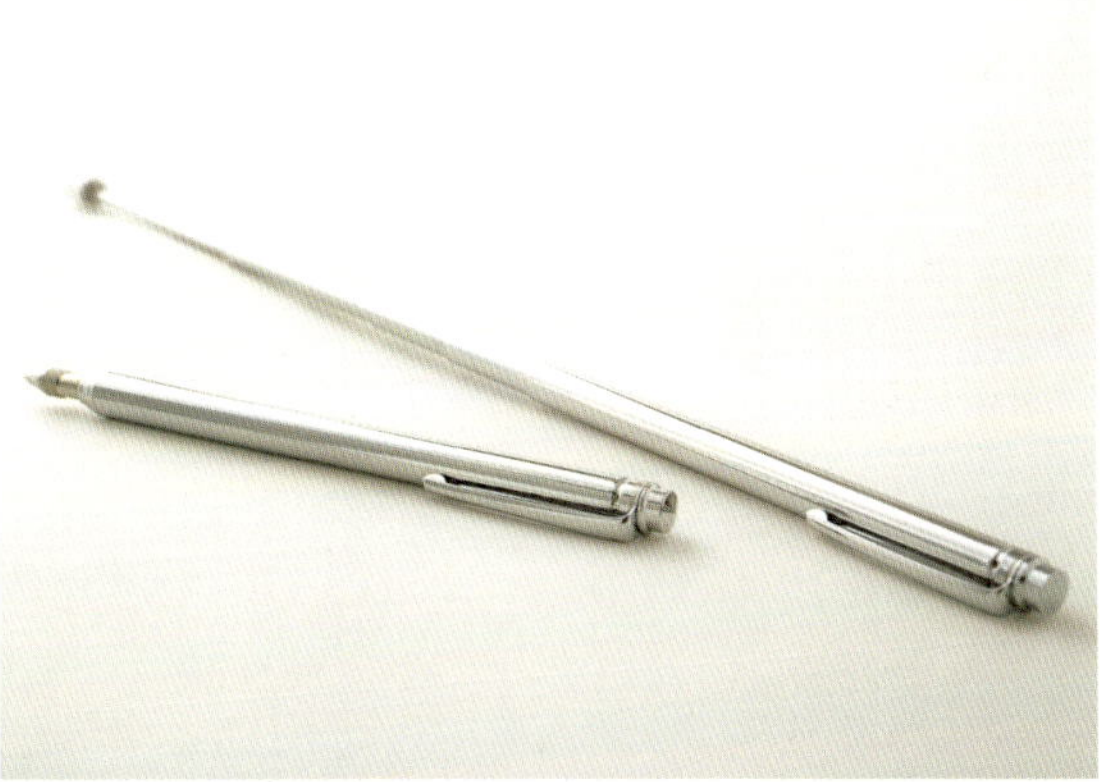

どうやって遊んだのかはサッパリ覚えていないが、やはり「武器」みたいなモノとしてとらえていたのか？　量販店では個別包装されて販売されるが（そのコストのために量販店での希望小売価格は470円）、文具店では今も吊るした黄色いボール紙の台紙に刺さった状態で売られている

●ポインターペン

発売年：1960年代　価格：420円

問合せ：レモン株式会社／電話番号非掲載

天神印チョーク

一九二四年、文化チョーク製作所として設立された日本白墨工業の天神印チョーク。特に関東圏では多くの学校で採用されており、「天神さま」マークでおなじみの一品。

中学生のころ、イヤな先生には「小さなイタズラで対抗する」というのが子どもたちの常套《じょうとう》手段だったが、そうしたイタズラにはやたらとチョークが活用された。教卓の側面にチョークの粉を塗りつけて服が汚れるようにしておいたり、チョークの先にセロハンテープを貼って「書けないチョーク」をつくったり……。当時は全国的に学校が荒れた時代だったが、比較的平和だった地元の中学では暴力事件などはほとんどなかった。この程度のストレス解消で、みんななんとか溜飲《りゅういん》を下げていたのである。

唯一、ちょっとヒドイかも、と思ったのが、「先生の給食にチョークの粉をトッピングする」というもの。ワルめの女の子たちが共謀して行うので芸が細かく、バレないようにグラタンのときは白チョーク、カレーシチューのときは黄色、ソフトめん&ミートソースのときは赤、などと色のセレクトにもヌカリがなかった。

同社はほかに「エコチョーク」「セラミックチョーク」などを手がけている。この「天神」の主な原料は天然の石膏カルシウム。鮮やかな色も安全なカラー顔料によるもので、「無公害衛生チョーク」なのである。とはいえ、やっぱり口に入れるのはよくないので先生の給食に混入するのはやめましょう！

●天神印チョーク（6本入）

発売年：1960年代　価格：白116円、カラー231円

問合せ：日本白墨工業株式会社／048-952-7171

天神印チョークケース

天神ブランドのチョークケース。小中学校を通じ、たいていの先生がこの日本白墨工業のケースを出席簿の上にのせ、中のチョークをカタカタ鳴らしながら教室に入ってきたのを覚えている。それぞれの先生が思い思いの色のケースを持っていたが、あれって備品じゃなくて個人所有の「マイ・チョークケース」だったのだろうか？

先生の体罰が瞬時に新聞沙汰になる現在、「チョークを投げる先生」など、ドラマや映画のなかにすら登場しないアナクロな存在となったが、かつてはちゃんと実在したのだ。そういう先生は短くなったチョークを捨てずにケースにいくつも備蓄しておき、「ここぞ」というときに弾丸として活用するのである。

中学生のとき、コントロールのよさを自慢にする若い地理の男性教諭がいて、この人は本当に百発百中だった。何人もの生徒の頭をかすめ、列の一番後ろに座っている標的の額に正確に命中させることができる。女子生徒たちから「すごーい！」なんて言われてデレッとなり、被弾した生徒に説教するタイミングを逸したりしていた。

オレンジ、ブルー、クリームの3色ともに、派手さを抑えたなんとも独特の色合い。教室でさんざん目にしていたため、なんかこう、「先生色」としかいいようのないカラーバリエーションに見える。同社から出ている金属製「チョークホルダー」(262円)なども懐かしい一品だ

●天神印チョークケース

発売年：1960年代　価格：315円

問合せ：日本白墨工業株式会社／048-952-7171

ＢＩＣ多色ボールペン

ＢＩＣの二色、及び四色ボールペン。色分けされたボタンでカチカチと芯を切り替えるおなじみのペンである。「オレンジビック」同様、昔から見慣れている世代は「いかにも事務用」というイメージを持ってしまう筆記具だが、これまたよく見ると非常にエレガントかつキュートなデザイン。カラーリングもボタンの形状もステキなのだが、特に特徴的だったのは頭についている意味不明の小さなボールだ。ここがカワイかったのだが、残念ながら現行の四色はリング形に変更されてしまっている。

ちなみに、頭の丸い部分にはちゃんと用途があり、電話をかける際、この部分をダイヤルの穴に突っ込んでまわしやすいように設計した、という噂をよく聞く。確かにヒッチコックなんかの映画に出てくる刑事や記者がメモを片手に電話をかけるとき、いかにもやりそうなしぐさだ。やはり魅力的な道具には、こういうなにげない工夫が細部に施されているのである……と感心して、一応、メーカーに裏取りをしてみたところ、「いやぁ、そういうお話は初めて聞きましたねぇ」と鼻で笑われてしまった。

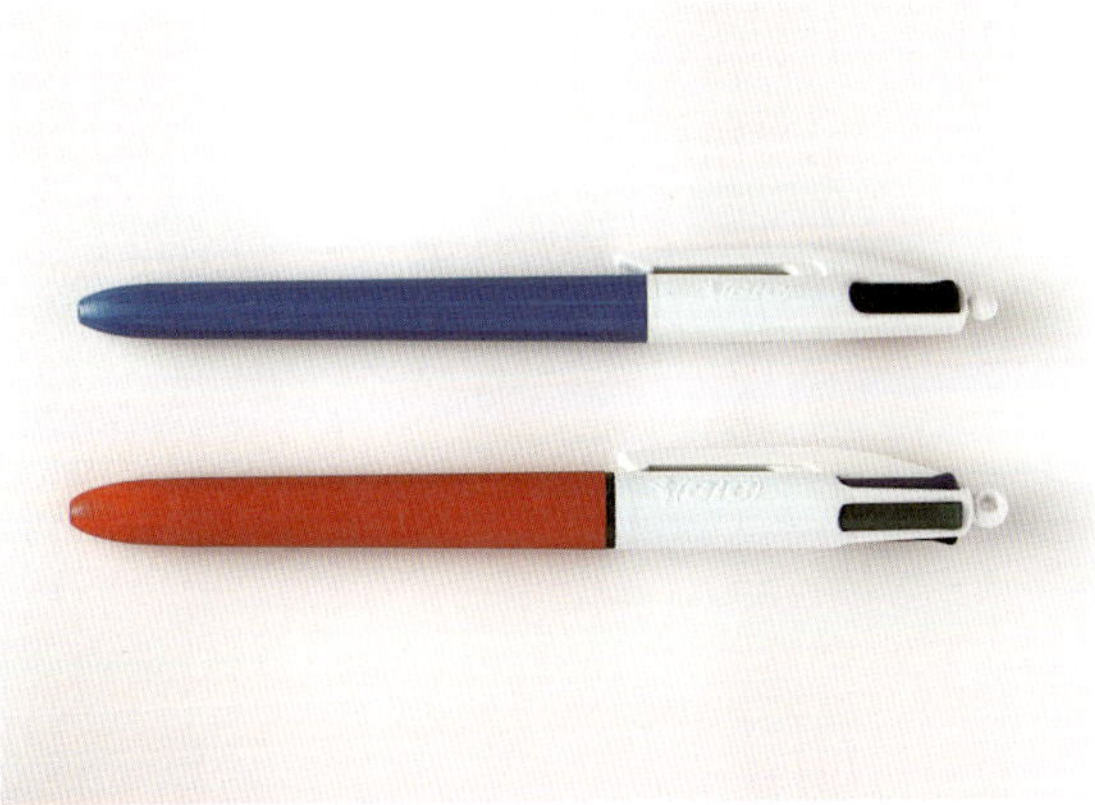

2色ボールペンのほうは資料がなく、メーカーも正確な発売年を把握していない。かつての軸色は2色のほうがブルーのみ、4色はブルーとオレンジのみだったが、数年前に起こった「BICって実はカワイイ！」みたいな再発見的ブームにより、現在はガーリーとかシャイニーとか、さまざまなカラーのシリーズが販売されている。また、3色タイプも新たに発売された

●BIC多色ボールペン

発売年：1970年（4色の発売年。2色は不明）
価格：2色263円、4色368円
問合せ：BICジャパン株式会社／03-5542-3050

ジャポニカ学習帳

新入学シーズンのCMで平成っ子たちにもおなじみ。六〇年代末から市場に出はじめた各社の「図鑑系学習帳」のなかで、もっとも元気な「勝ち組」である。当初は小学館の『ジャポニカ百科事典』と連携し、写真や記事を転載していた。今でいうコラボ企画だ。「世界特写シリーズ」と題される現行品の表紙には、川口浩探検隊ばりの冒険(たぶん)に挑戦しつづける「特写取材班」のオリジナル写真が使用されている。「ジャポニカ」といえば、巻頭巻末の科学読みもの「学習百科」が魅力的だった。授業に退屈するたびに、それまでに何十回となく読んでいるはずの記事をまたもや熟読し、「自然の神秘」などに思いを馳《は》せて現実逃避したものだ。

七〇年代は、ガムの包み紙、給食用のジャムの小袋やマーガリンを包む銀紙など、多くの子ども向け商品のパッケージに「豆知識」が印刷されていた。僕も給食のイチゴジャムの小袋で「チーターは時速〇キロで走る!」などの知識を得た。得たはずなのだが、こういう「豆知識」は読んだ直後に忘れてしまうものなのである。

かつては動物などの表紙も多かったが、現在は植物中心。また、ザラッとしたテクスチャー加工の表紙から、防水コーティング仕様に変更された。「学習百科」は今も相変わらず充実

●ジャポニカ学習帳

発売年：1970年　価格：105円〜178円
問合せ：ショウワノート株式会社／03-5541-8071

プリット

一九七〇年に登場した日本初の固形糊。でんぷん糊と液体糊しかなかった時代、このオシャレなリップスティック型の糊の発売はさぞかし衝撃的だっただろう。

僕の小学生時代にはすでにコクヨの商品として販売されていたが、赤と白のポップなデザイン（当時）が新鮮で、ずっと「輸入品みたいだな」と思っていた。それもそのはず、もともとは旧西ドイツのヘンケル社の製品。国内での販売をコクヨが請け負い、七三年よりライセンスを得て国内生産されるようになったそうだ。機能性とスマートなルックスがウケて一気に大ヒット商品になった。ちなみにヒットの直後、非常に紛らわしい名の類似品（まだある）が発売され、そちらも「日本初の固形糊」と称されることがある。この場合は「国産初の」という意味だろう。

たぶん七〇年代なかばごろ、基本デザインのほかにいくつかバリエーションが登場したことがあったと思う。動物イラストや赤いハートマーク模様などが描かれたタイプで、これらのファンシーな「プリット」は女子たちの必須アイテムになっていた。

我々世代には赤と白に塗り分けたデザインが印象に残っているが、現在は真っ赤なボディーとなり、ロゴもリニューアル。成分も塗りやすさをアップするために変更され、さらに植物由来の成分を使用して環境配慮商品としてスティック糊で唯一バイオマスマークを取得している

●プリット（レギュラーサイズ）

発売年：1970年　価格：126円

問合せ：コクヨお客様相談室／0120-201-594

こむぎこネンド

いわゆる小麦粘土は、あの独特の匂いのする青緑色の油粘土や、漂白した古新聞を水で溶かしたような紙粘土とはまったく違う種類の商品だった。見るからに「楽しげ」なのである。大手玩具メーカーから出ていた代表的な小麦粘土といえば、米国生まれの「プレイドー」（トミーが販売。まだある）。バケツ形ケースに入ったカラフルな粘土で、いろんな形をつくるための型とか、粘土をしぼり出すマシンなどの「オプション」がやたらと充実していた。人気だったのが「床屋さんごっこ」セット。人形の頭からニュル〜ッと粘土の髪の毛が生えてきて、それを専用のハサミで好きなヘアスタイルにカットすることができるというギミック。素晴らしいアイデアである。

舶来品的な高級感のあった「プレイドー」は主にデパートなどで売られたが、商店街の文具屋さんなどに置いてあったのは、ここに紹介する大和（現・デビカ）製の商品。「カラフルなソーセージ」みたいなビニールパックが、当時はとてもおいしそうに見えた。ほんのりと淡い香りもパンみたいで、ついつい口に入れたくなってしまう。

●こむぎこネンド

発売年：1970年ごろ　価格：683円
問合せ：株式会社デビカ／052-794-9575

外箱はリニューアルされたが、中身は昔ながらの「おいしそう」なソーセージ形包装。この種の小麦粘土は「お子さまが誤って口に入れても安全」ではあるのだが、やっぱりムシャムシャ食べちゃったりするのはマズイだろう

サクラ三重筆洗

小学生時代は、誰もが単純に「水入れ」と呼んでいたと思う。昔も今も、小学生が使う「水入れ」には二種類あって、ひとつは内側がいくつかに仕切られたプラスチックのバケツ形。色はたいてい黄色か白。同じバケツ形でも、クシャッとたたむことができるビニール製のタイプもあった。

もうひとつが、ここで紹介する「三重筆洗」。小さな四角い箱を連結して使用し、三つ重ねれば「絵の具セット」の肩かけバッグに収納することができる。ひとつ少ない「二重筆洗」というのもあった。小学校時代に使用していた「三重筆洗」は、ほぼこのサクラ製と同形だが、箱の部分が淡い水色で持ち手が白だったと思う。

水彩画の授業のあとは、後かたづけが大変。筆を突っ込んだ筆洗とパレットを手に、みんなが教室前の水道に並ぶ。休み時間が短くなることを気にしつつ、「早くしろよぉ」などと言い合いながら道具を洗うのである。ジャーッという水音と、筆で筆洗をかきまわすカタカタという音、そして絵の具の匂いが薄暗い廊下に満ちていた。

左は重ねた状態。これで絵の具セットのバッグにもスッポリ収まる。ワイドではないノーマルタイプ(294円)もあり。それにしても「プラ製バケツ筆洗派」だった人は、あれをどうやって持ち運んだのだろう？　図工の授業があるたびに手でさげて登校したのだろうか？

●サクラ三重筆洗(ワイド)

発売年：1971年　価格：399円

問合せ：株式会社サクラクレパス／06-6910-8800

かきかたフェルトペン

小学生時代、「かきかた」という謎の授業があった。いまだに趣旨のよくわからない授業で、まず「腕の角度」があぁだこうだといった「字を書くときの正しい姿勢」の講釈からはじまる。次にひらがなの書き方をあらためて教えられ、「はらい」やら「はね」やら「とめ」やらがどうのこうの、という話を聞かされた。徹底してゴタクに終始するような内容なのである。生徒たちはもちろん「なんの授業だ、これ？」と思っていたが、先生も「この授業、意味あんのか？」的な戸惑いを感じていたのだと思う。運動会などの練習で授業をつぶすときは、必ず「かきかた」が犠牲になった。

で、この謎の授業に使用した謎の文具が「かきかた鉛筆」と「かきかたフェルトペン」。専用の文具として事前に購入させられたのだが、「かきかた鉛筆」はどう見ても普通の鉛筆だったし、「かきかたフェルトペン」も普通の水性サインペンだった。どちらも軸に「かきかた」という文字が「おまじない」のように印刷されているだけ。「かきかた」の授業にまつわる思い出は、すべてが謎めいている……。

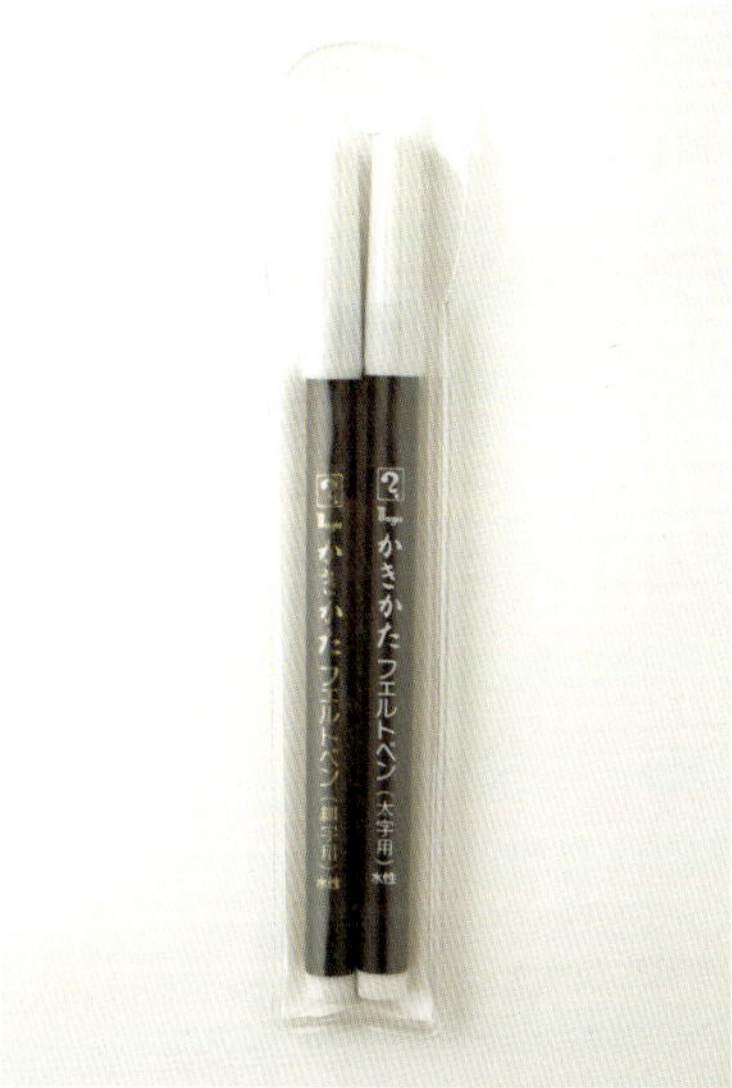

●かきかたフェルトペン（細字用・太字用2本入りセット）

発売年：1971年　価格：168円

問合せ：寺西化学工業株式会社／06-6928-3101

調べてみたら、「かきかた」は中学年からはじまる「書道」の準備運動のようなものだったらしい。「墨色鮮やか」が特徴のこの「かきかたフェルトペン」は、これから「書道」に挑戦する子どもたちが筆に慣れるための、ちょっと「筆っぽい」筆記具、という位置づけで開発されたそうだ

ぺんてるエフ水彩

ぺんてるから発売された初の水彩絵の具は、一九五二年の「ぺんてるえのぐ」。六二年には「ぺんてるえのぐエフ」、そして七二年に現行品の「エフ水彩」が登場した。

水彩絵の具は明治初期に輸入され、その後は日本でも「皿入り絵の具」（小皿に入った固形絵の具）や、「色墨」と呼ばれる棒状の絵の具がつくられた。金属チューブ入りが発売されたのは一九〇九年。金属チューブ時代が一世紀近くつづいてきたわけだ。

歯みがきがとっくの昔にラミネートチューブになろうと、絵の具の金属チューブは永久に不滅なのだ……などと思っていたが、やはりそうはいかなかった。ロングセラーの絵の具セットを含めて、いつの間にか多くの商品がポリチューブなる樹脂製チューブに切り替えられ、この「エフ水彩」もすでに八三年にポリチューブ版が発売ずみ。数年前までは金属チューブも共存していたが、ついに製造終了。環境と使いやすさに配慮した結果、ということらしい。ほぼ使い切った絵の具のチューブを、お尻のほうからクルクルと丸めて使う、という貧乏くさい習慣も「昭和の逸話」のひとつと化した。

パッケージも激しくリニューアル。かろうじて小さくレイアウトされた「湖畔のおうち」の絵のみに往時の雰囲気がかすかに残る。中身のチューブにいたっては、もはや我々世代にとっては「なんだこりゃ？」である

●ぺんてるエフ水彩（12色）

発売年：1972年　価格：630円

問合せ：ぺんてる株式会社／0120-12-8133

ソックタッチ

七〇年代初頭、ハイティーンのお姉さんたちの典型的なファッションといえばハイネックのニット、大きなバックルのついた太いベルトにチェックのミニ、もしくはホットパンツ、そしてコンバースのハイカット、みたいな感じ。そして、忘れてはならないのが膝《ひざ》下までのピチッとしたハイソックス。色は白が基本。たるみは厳禁。

こういうお姉さんたちの流行はすぐに「マセはじめ」の小学校高学年女子たちにも伝播して、クラスにはミニスカートやホットパンツで颯爽《さっそう》と登校してくる子も多かった。となれば、やはりハイソックスは必需品。というわけで、当時、すでに中高生の必需品となっていた「ソックタッチ」が小学生たちの間にも大流行する。コロンや色つきリップクリームを没収しまくる先生も、なぜか「ソックタッチ」は黙認していた。

その後、ハイソックスが下火になると低迷し、ついに八〇年代に生産中止。が、九〇年代のルーズソックス旋風で再びヒット商品の座に返り咲く。以降もニーハイの流行で売り上げを伸ばしている。少女たちの気まぐれに翻弄《ほんろう》されまくる商品なのだ。

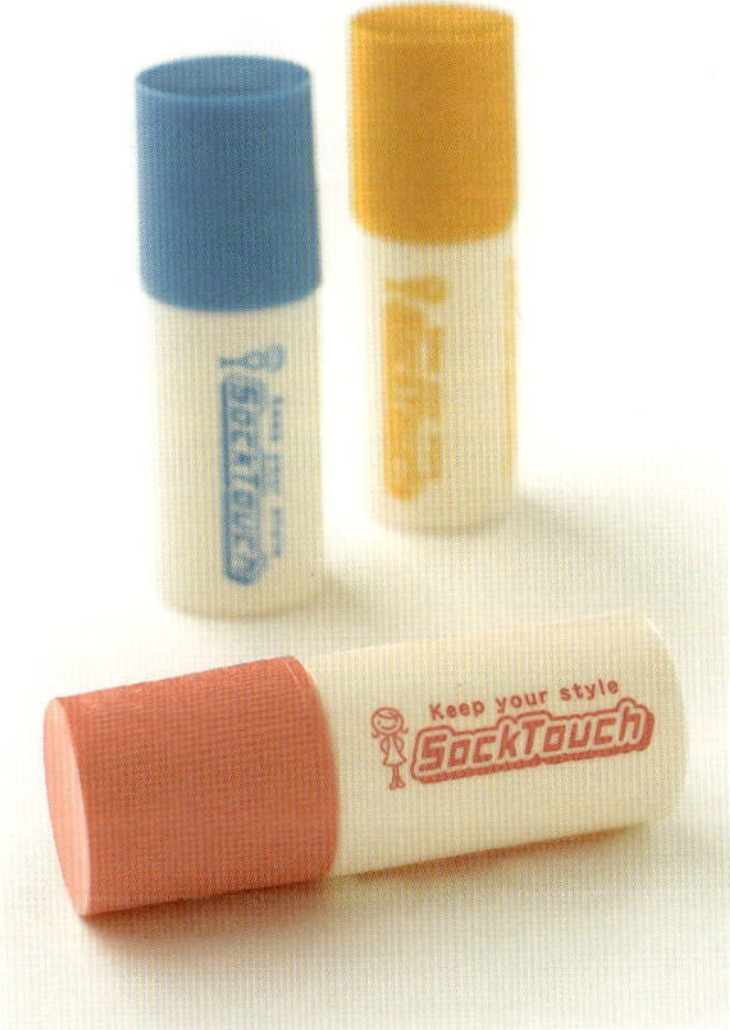

●ソックタッチ
発売年：1972年　価格：315円
問合せ：株式会社白元／03-5681-7691

変わらぬロールタイプの塗り口が懐かしい。今では完全に女の子アイテムだが、「半ズボン」全盛の当時、男子にもユーザーは多かった。郷ひろみが広告に起用されたこともある

セイカ色画用紙

大人になると縁のなくなる商品だが、小学生時代の図工の時間ではかなりの頻度で使用した。なにかを描くための紙としてではなく、「切り抜く」「貼り合わせる」のが主な用途だったと思う。覚えているのは、「お面をつくる」という図工の授業。彩色禁止なので、画用紙の組み合わせのみでカラーリングを考えなければならない。自分がどんな作品をつくったかは忘れたが、女子のひとりが茶色と白の画用紙を器用に使って『あらいぐまラスカル』のお面をつくり、クラス中から絶賛されていた。

長らく「青いクマ」のマークでおなじみだったセイカノート（後に社名を単にセイカと変更）だが、二〇〇九年をもって実質的には解散してしまった。現在はサンスター文具の一ブランドとなり、継承されたいくつかの商品のみが販売されている。この色画用紙もそのひとつだ。数年前までは、この商品の表紙の隅でも「青いクマ」が元気な笑顔をふりまいていたのだが、残念ながら現行品からは消えつつある。今の時点なら「クマつき」もまだ流通しているので、執着のある人は早めにゲットを！

大きさはB6からB4までの5種(157円〜525円)。サイズによって表紙イラストが異なる。ちなみに、今回撮影した商品には「セイカのクマちゃん」がしっかりと掲載されている(写真左下)。この名なしのクマ、一部のユーザーからは「ブルーベ」「ブルーベア」などというあだ名で呼ばれるらしい

●セイカ色画用紙(B5)

発売年：1972年　価格：262円

問合せ：サンスター文具株式会社／04-7146-0601

学習ルーペ

文具店の店先にはボールや縄跳びなど、さまざまなモノが吊るされていたが、このカラフルなプラ製虫メガネもかつては「文具店の吊るしモノ」の代表だった。「ポインターペン」などと同様のスタイルで、吊るされたボール紙の台紙に一ダースくらいが貼りつけられている、というのが定番のパターン。どの店も虫メガネを入り口付近の「いい場所」に吊るしていた記憶があるのだが、カラフルで見栄えがするからだろうか？　ちなみに、現在も小学校の通学路にあるような小さな文具店などに行くと、カラーボール、縄跳びなどの「吊るしモノ」が充実していたりする。

園児時代、初めて手にした虫メガネはこのタイプだった。玩具として買ってもらったのだと思うが、カブトムシの幼虫の顔をアップで眺める、などという悪趣味なことをして楽しんだ。虫メガネの使用法として印象的なのは、小学校でやった「発火実験」。みんなで屋上に出て、紙に打った黒い点に光を集める。やがて黒点から煙が立ちのぼり、ジリジリと焼かれて穴があく様子をかたずをのんで見つめていたものだ。

昔も今も複数の会社が同種のものを販売しているが、なぜかどれもこのカクカクのフレームを採用している。倍率は3.5倍。夏休みなどはこれを1本持って公園などに出かけると、「観察したいものだらけ」で一日中退屈しなかった。男子の間で密かに流《は》行《や》っていたのは、アリの巣を見つけて棒などで襲撃し、出てきたアリを焼……（自粛）

●学習ルーペ

発売年：1972年ごろ　価格：368円
問合せ：株式会社デビカ／052-794-9575

サクラ クーピーペンシル

「全部が芯♪」というテレビCMを初めて目にしたときは、「なんだかわからないけどとにかくスゴイ！」という感動を覚えた。CMでは商品の全容は把握できなかったし、「全部が芯」とはいったいどういうことなのか、そもそも「全部が芯」だとどういうメリットがあるのか、といったことはサッパリわからなかったが、まったく新しい筆記具が誕生したらしい、というワクワク感だけは強烈に伝わってきたのである。で、即ゲット。缶の中には一見オモチャのような、色つきペンシルチョコレートみたいな未知の物体がズラリ。色鉛筆ともクレヨンとも違う、ロウソクに似た香りがかすかに漂う。「ほんとに描けるのかな、これ？」と思うほどに「鉛筆離れ」している。まるで「鉛筆形オブジェ」。モノそれ自体が美しく、不思議な魅力にあふれていた。

普段、色鉛筆やクレヨンを散らかしまくっていたくせに、「クーピーペンシル」だけは必要以上に大切に扱った。使用後は、必ず缶のフタ裏面の「色の順番」どおりに並べ直したほど。この商品は、そうさせるだけの「宝物感」に満ちていたのである。

●サクラ クーピーペンシル(12色・缶入り)
発売年：1973年　価格：945円
問合せ：株式会社サクラクレパス／06-6910-8800

「消せない、芯が折れる、塗りにくい」という色鉛筆の弱点克服のため、サクラがフランスのメーカーと共同開発。クレパスの長所を色鉛筆に導入した。名称は仏語の「coup(革命)」から

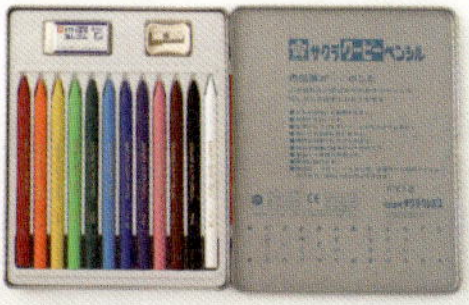

ノンスリップ

大学を卒業して初めて出版の仕事に就いたとき、「世の中にはこんなモノがあるのか！」と目を丸くしてしまった商品である。僕が目にしたのはそのときが初めてだったのだが、伝票や書類、紙幣などを大量に扱う職場では七〇年代からおなじみの事務用品。いわゆる「紙めくりクリーム」だ。昔から存在する指サック、あるいは事務用海綿などと同種の「指先の滑りどめ」ツールで、書類などをめくる作業の前にサッと指先に塗るのである。サックのようにムレることもなく、水を使わないので紙がフヤけることもない。おまけにほのかに柑橘系の香りがつけられている。新入りの編集部員だったころはとにかくもの珍しくて、必要以上に塗りたくっていたのを覚えている。

新発売時の広告を見てみると、「紙幣の勘定に、伝票のめくりに」と事務用品として宣伝されているだけでなく、「ゴルフ、ピンポン、テニス、野球のグリップに」というコピーが添えられているのがおもしろい。現在ではそういう売られ方はしていないようだが、当時は一種のスポーツ用品としての使用も提案されていたようだ。

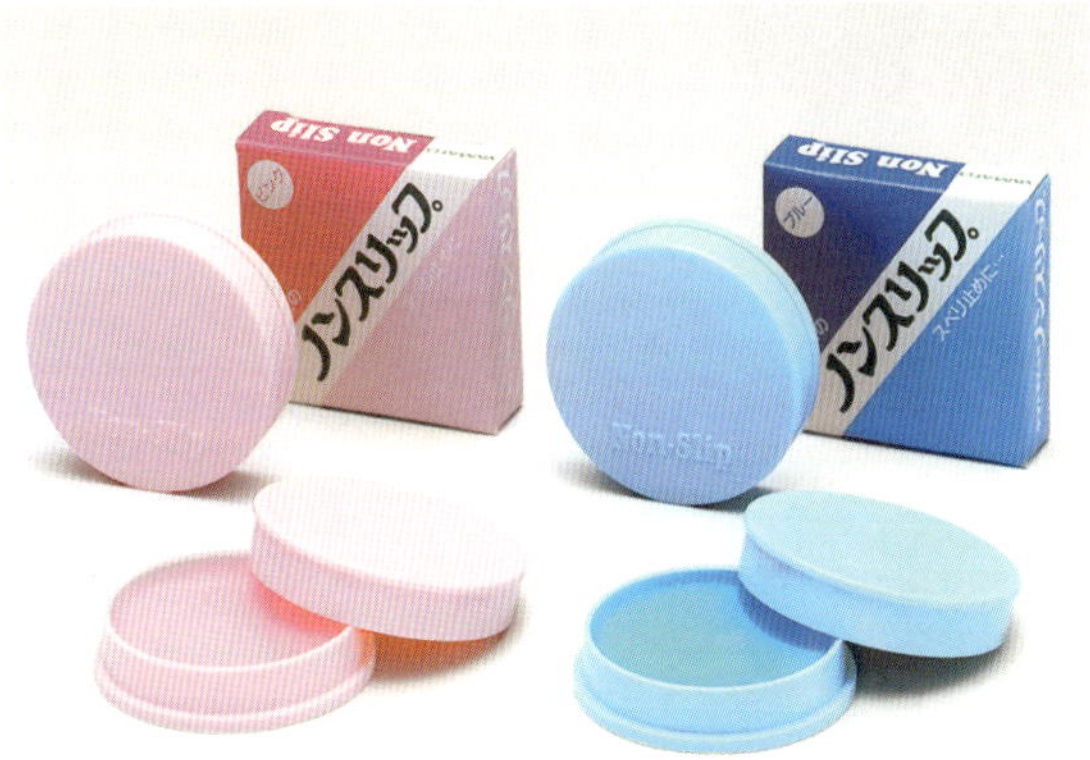

2001年には、社名などを入れてノベルティーに使う、といった用途にピッタリな「ノンスリップi」も発売された(左)。チューリップ、ヒマワリ、バラのワンポイントがなんともキュート

●ノンスリップ

発売年：1973年　価格：262円

問合せ：ヤマト株式会社／0120-36-6203

さんすうせっと

小学校の入学式のあと、真新しい教科書などと一緒に「さんすうせっと」を配布されたときのことを覚えている。こむずかしそうな教材のなかで、唯一とても「楽しげ」に見えた。大きな箱のなかにカラフルな教材がいっぱいつまっていて、まるで豪華なボードゲームのセットみたい。メーカーは失念してしまったが、僕の小学校で配布されたセットには、定番の「数え棒」「花おはじき」「積み木」などのほか、色とりどりのサイコロや、おもちゃのお金が入っていた。紙幣はミニチュアだったが、一〇〇円玉などのコインはかなりリアルにできていた。しかし、やはり一番魅力的に見えたのは「時計」だ。配布された日は、勉強机の上に飾ったりしたのを覚えている。

光文書院の「さんすうせっと」は、一九七三年、ブロックなどの具体物を使って数の概念を楽しく身につけられるように開発された。我々世代にもおなじみのアイテムが現行品にも含まれている一方、くり上がり・下がりの計算の理解を助ける「Vトレー」など、教育現場への調査を繰り返して生まれた進化形教材も多数目につく。

左の「時計」は発売当初のもの。我々世代が使用したシンプルなタイプだ。現行品は時・分の数字をそれぞれ個別に非表示にできるなど、かなり進化している。セットは全6種類あり、写真のものは東京書籍の教科書を使う地域、学校で採択されるタイプ。個人への販売は行わない

●さんすうせっと

発売年：1973年

価格：2600円(2013年度の学校納品価格／個人への販売不可)

問合せ：株式会社光文書院／電話番号非掲載

横断旗

かつては都内の通学路のあちこちで、こうした黄色い旗を見かけることができた。横断歩道の信号機に設置された黄色い「旗立て」（と呼ぶの？）から一本抜き取り、使用後は向こう岸の「旗入れ」に突っ込んでおく、というのがルール。が、なぜか徐々に数が減っていく。悪ガキどもがオモチャ代わりに持ち帰ってしまうのだろう。「横断旗」の記憶と切り離せないのが学童擁護員、つまり「緑のおばさん」だ。戦後、女性の雇用対策として生まれた職業だが、「実はスゴイ額の給与をもらってる!」ってことが話題になり、各地で廃止される傾向にあるらしい。そもそも「緑のおばさん」の採用には戦争未亡人の救済の意味合いがあり、福祉的就業支援策だったそうだ。

その役割に費用と見合う「意味」があったのかどうかは知らないけど、おかしな水色のかっぽう着に身を包んで黄色い旗を振るおばさんと、群れをなしてちょこまかと歩く子どもたちが「さよ〜なら〜」と声をかけあう習慣は、のほほんとした昼下がりの風景としては深い「意味」があったような気がする。

ナカネは1961年以来、東京足立区で交通安全用品の製造をつづけるメーカー。「横断旗」の売り先は主に交通安全協会、教育委員会など。基本的に個人相手の小売りはしない。このタイプのほかには、横断歩道を示す交通標識、もしくは「交通安全」の黒い文字を染め抜いた「横断旗」が当時の定番

●横断旗

発売年：1970年代前半
価格：単品販売なし（100本購入で単価630円〜）
問合せ：株式会社ナカネ／03-3870-3711

上履き（アルファスクールカラー）

七〇年代にもっともスタンダードだった「バレエタイプ」の上履き。最近は上履きのスタイルもさまざまで、ムーンスターの主力商品も現代的なルックスのモノにシフトしている。機能的にもデザイン的にも格段に向上しているようだが、やはり上履きは「甲の部分のゴムベルト」がないとそれっぽくない……と思ってしまう。このゴムベルト部分に油性ペンで「3−2　はつみ」などとクラスと名前を記入したのも懐かしいし、洗濯を繰り返すとベルトがフニャフニャになってしまうのも味わい深い。

小学生時代、「ジョギングシューズ」がブームになった（当時、「スニーカー」という言葉はなぜか一世代前のダサイ呼称、という印象だった）。現在のスニーカーマニアのゴタク自慢と同種のブームで、ナイキやアディダス、プーマ、ニューバランスなど、今も現役のブランドのほか、ミズノの「Mライン」などが男子たちの憧れだった。で、上履きに油性マーカーでラインを書いて「ジョギングシューズ化」するヤツが続出。もちろん、すぐに教師に見つかって「洗ってこいっ！」などと怒鳴られていた。

70年代っ子なら現社名の「ムーンスター」より「月星」のほうがシックリくるだろう。我々世代は「月星シューズ」にはさんざんお世話になっているはずで、特に幼少期、「ウルトラマン」などのキャラが描かれた青い運動靴のシリーズは子ども靴の定番だった

●上履き（アルファスクールカラー）

発売年：1970年代前半　価格：オープン価格
問合せ：株式会社ムーンスター／0800-800-1792

ベーシック地球儀

ベーシックなクツワ製の地球儀。七〇年代から変わらない木製台座モデルだ。

五〇年代から七〇年代にかけて、アポロ打ち上げや巨大流星群の接近など、大きな天文イベントによって何度かの全国的な「天文ブーム」が起こっている。各種「天文雑誌」が創刊されたり、子ども向け雑誌にやたらと天体望遠鏡の通販広告が掲載されたり、プラネタリウムが人気を博したりしていた。「勉強机の上には必ず地球儀を」というかつての風潮も、この「天文ブーム」の影響を間接的に受けたものだろう。

そういえば、『サザエさん』のカツオの部屋（ワカメちゃんの部屋でもあるけど）には昔から月面地図のポスターが貼ってある。小学生時代、同じようなものを子ども部屋に貼っている子が多かった。これも天文ブームの間接的影響だと思う。月面地図や太陽系の図解ポスターは、雑誌の付録やプラネタリウムの売店などで人気を集めていた。

平成っ子たちが宇宙にどのくらいの関心を持っているのかは知らないが、今も地球儀は「入学祝い」の定番。やはり勉強机の上には、小さな青い地球の模型が似合う。

タッチセンサーでライトが点灯するもの、クラシック調のデザインのものなど、クツワの地球儀はラインナップも多彩。だが、勉強机にピッタリくるのは、やっぱりこのタイプ。そういえば昔、鉛筆削りやライトを内蔵した多機能学習机が流行したが、地球儀を組み込んだタイプもあった

●ベーシック地球儀

発売年：1975年　価格：12600円
問合せ：クツワ株式会社／06-6745-5623

フエキ糊 どうぶつ

通称「どうぶつのり」。黄色い顔に長い耳、まんまるの鼻に赤いベレー帽、そして、ちょっと手塚治虫のタッチを思い起こさせる青みがかった瞳……。発売以来、四〇年間にわたってカワイイ笑顔で人々を魅了しつづける動物形容器入り幼児用糊だ。

幼児用糊といっても、実は現在の不易糊製のでんぷん糊は、すべてが安全性の高い幼児用糊。かつては幼児用糊とそれ以外の糊の成分は違っていたのだが、安全基準が厳しくなり、全商品を「かつての幼児用糊」の成分に統一したのだそうだ。

印象的な容器のデザインは、もはやどこにも修正の余地のない完全無欠のキュートさ。しかし、昔から目にしているにもかかわらず、「これはなんの動物なのか？」について考えたことがなかった。メーカーに確認してみたところ、あっさり「イヌです」とのこと。発売当初はブルーのゾウさん、ピンクのウサギもラインナップされていた。

このワンちゃん、二〇〇八年には「フエキくん」と命名され、現在ではブランドキャラとして大活躍。筆記具やメモ、シールなど、さまざまなグッズが販売されている。

「大」サイズのほうはベレー帽をめくるとヘラが登場。「小」にヘラはついていない。現在では5色のパステルカラーの「どうぶつのりカラー」も販売されている

●フエキ糊 どうぶつ

発売年：1975年　価格：大178円、小84円

問合せ：不易糊工業株式会社／03-3862-8551

BOXYボールペン

七〇年代後半に小学生男子の必須アイテムとして、まさに一世を風靡《ふうび》した一品。当時の男の子たちにとって、これは筆記具などではなく、スーパーカー消しゴムをカッ飛ばすための「ロケットランチャー」だったのである。このノック式のボールペン、芯を出した状態で側面のオレンジ色のボタンを押すと、パチンという音とともに上部のボタンが定位置に戻る。この衝撃でスーパーカー消しゴムをはじき飛ばすわけだ。

男の子心を刺激したのは、「いかに走行距離をのばすか」という一念による消しゴムとBOXYの「チューンナップ」。摩擦抵抗低減と加速性アップのため、消しゴム裏面にホチキスの針を打つ、接着剤を塗る、シンナーに一晩漬け込んでカチカチに硬化させる……など、反則ギリギリの手法が次々と考案された。「BOXY」にもさまざまな改造が施され、内部スプリングを引き伸ばして強化するのはあたりまえ、果ては二つのスプリングを一本のボディーに無理やり詰め込む「二重スプリング・ブースター」などを開発するヤカラまでが現れ、周囲から「卑怯」の烙印を押された。

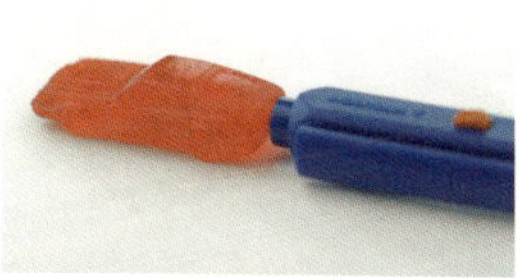

こんな感じでマシンをスタートさせる。70年代の「BOXY」シリーズはトータルな文具ブランドで、ノートやペンケースなど、多岐にわたるアイテムが販売されていた。ボールペンも黒、赤、青、緑と計4色の軸が販売されていたが、現行品は黒のみ

●BOXYボールペン

発売年：1975年　価格：105円

問合せ：三菱鉛筆株式会社／0120-321-433

クラリーノ筆入

クラレが開発した「クラリーノ」は、六〇年代後半から七〇年代にかけて、蝶ネクタイをつけて靴を履いたアヒル（実写）のCMで一世を風靡《ふうび》した人工皮革。「軽くて丈夫」ということで、ランドセルや革靴など、多くの子ども向け製品、特に「新入学用品」に使用されてきた。ここに紹介するのはオーソドックスな筆箱である。

この種の筆箱は七〇年代初頭までのスタンダードだった。男の子は黒で、女の子は赤。それ以外にほとんどバリエーションがなかったのだが、その数年後、学童用筆箱は急速に進化する。金庫のような「ダイヤルロック」や「電子ロック」つきにはじまり、表裏にフタがついた「両面筆箱」、さらには四面、五面とエスカレートした後、十数カ所もの秘密の収納スペースを備えたものや、パーツごとに分解・組み換えができるものなども現れた。七〇年代なかばの男の子たちにとって、筆箱は「合体ロボ」のような「メカ」だったのである。が、八〇年代に入るとその種のものは突如「ダサい」とされ、これ以上ないほどシンプルな「缶ペン」がもてはやされるようになる。

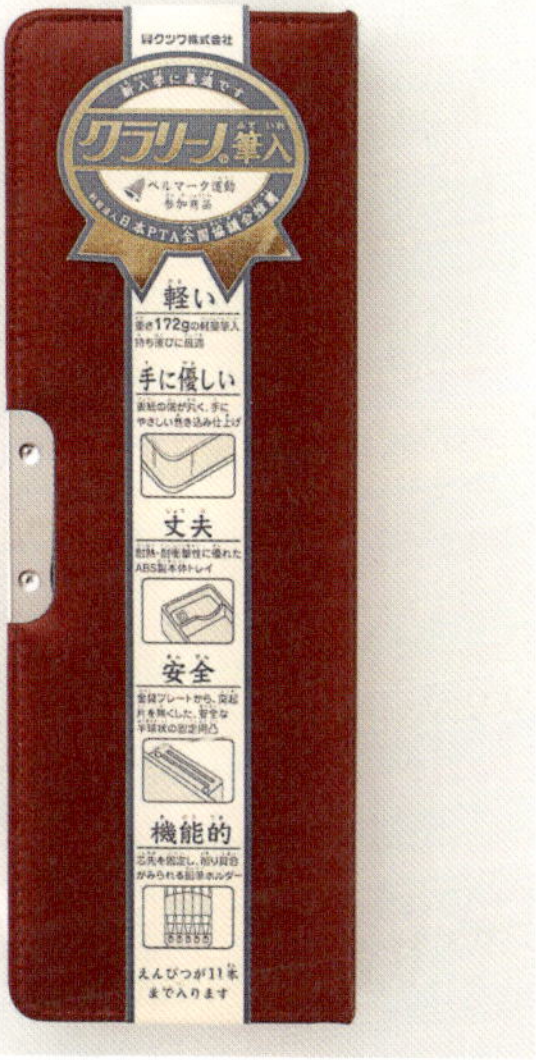

●クラリーノ筆入

発売年：1975年　価格：1680円
問合せ：クツワ株式会社／06-6745-5623

実用的な機能に徹したシンプルな構造。鉛筆を固定する「ペンシルホルダー」など、70年代当時はなかった新機能も装備。カラーはほかにブラック、マリンブルー、ピンクなど全8種

アラビックヤマト

最近ではあまり耳にしなくなったが、かつては液体糊のことを「アラビア糊」と呼ぶことが多かった。これは本来、天然アラビアゴムを主成分にした液状の糊の総称。日本では明治時代にイギリスやドイツから輸入され、大正時代には国産品もつくられるようになった。塗り口に海綿を使用したビンに入っており、ビンのまま手を汚さずに塗れる利点がある一方、当時の商品は入手しにくいうえに価格が高く、さらには海綿部分がすぐに固まってしまうという欠点があった。これを克服し、以降、「アラビア糊」「液体糊」のスタンダードとなったのが、ご存じ「アラビックヤマト」である。

開発の要となったのは、やはり塗り口部分。なめらかに糊を塗布することができて、しかも目詰まりしない特殊スポンジキャップは、プラスチック製のザルの形状をヒントに考案されたが、開発には実に三年を要したという。ようやく完成した商品の価格は、当時の一般的な糊の一・五倍以上。消費者に「塗り心地」を体感してもらうために全国で大規模なプロモーションを行い、一年がかりでヒット商品に育てあげた。

現在ではさまざまな容量、形状のボトルがラインナップされているが、スタンダードなタイプは発売以来、ほとんどデザインの変更はなされていない。当初から機能を優先して考え抜かれたデザインは、2009年にグッドデザイン・ロングライフデザイン賞を受賞している

●アラビックヤマト(スタンダード)

発売年：1975年　価格：178円

問合せ：ヤマト株式会社／0120-36-6203

よいこのおどうぐばこ

七〇年代から変わらぬライオン柄の「おどうぐばこ」。糊やハサミ、クレヨンなど、こまごまとした文具類を収納するための箱である。普段は机の中やロッカーに置いておき、夏休みなどの長期休暇の前に家に持ち帰る、というのが一般的な使い方。

昔から多くの小学校では、お揃いの「おどうぐばこ」を一括購入し、新入学時に配布するシステムがとられている。現在では透明なプラスチック製のものが主流のようだが、我々の世代の「おどうぐばこ」といえば、このライオン柄の黄色い箱だった。

しかし、僕個人は「おどうぐばこ」というものを使った覚えがない。通っていた小学校は、なぜか「学校に私物をおきっぱなしにするな!」という教育方針だった。そのため、彫刻等やらコンパスやら分度器やら、普段はあまり使わない文具を使用する授業があるたびに、「先生、忘れました」という子が続出する。で、当時の先生は忘れ物をすると問答無用で殴るのである。僕も忘れ物常習犯で、何度も殴られたクチだ。「殴る前に『おどうぐばこ』を導入しろよ、この野郎!」と今さらながら腹が立つ。

紙製だが、かなり丈夫なデキである。ほかに大(735円)、中(630円)のサイズがある。これを見て思い出すのは、70年代に一世を風靡《ふうび》した「グルービーケース」。ミドリから発売された紙製キャリングケースで、小学生の通学スタイルを変えたヒット商品だ。NFLのチームロゴ柄が大人気だった

●よいこのおどうぐばこ(小)

発売年：1975年ごろ　価格：473円
問合せ：株式会社デビカ／052-794-9575

鉛筆キャップ

機能性重視の金属製鉛筆キャップ。「クロームサヤ」などとも呼ばれる。七〇年代、筆記具の主流が鉛筆だった小学校低学年までは、必ずお世話になる商品だった。小学校入学時、最初に親から買い与えられたキャップもこの種の金属製。のちに「ロケットサヤ」などと呼ばれるカラフルなプラスチックのキャップが流行した。キャップ同士が縦横に連結できるオモチャみたいなモノで、要は授業中の暇つぶしアイテムだ。ちなみに、玩具メーカーのカワダも連結できる「ブロックキャップ」を製造しており、これがのちにヒット商品となる「ダイヤブロック」のヒントになったという。

昭和二〇年代の東京では、金属キャップに火薬を詰めて飛ばす遊びが大流行した、という話を父親から聞かされたことがある。キャップのなかに火薬を詰めて、口の部分をつぶして密封してから火であぶる。するとボン！という音とともにロケットのように飛んでいくそうだ。恐ろしいことに、飛ぶ方向がまったく予想できず、そのスリルが楽しかったらしいのだが、やはり失明事故などもあって問題になったそうだ。

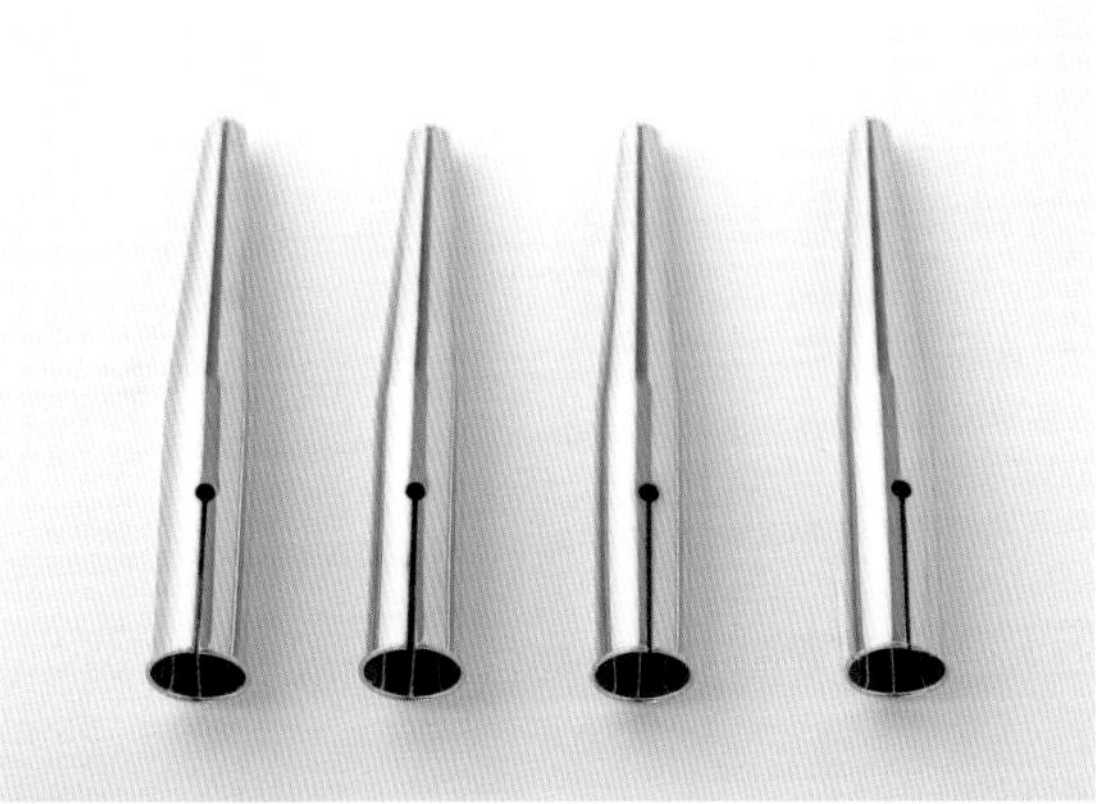

定番のシルバーのほか、メタリックカラーのバージョン(158円)もあり。最近の小学生用筆箱にはキャップ兼用の鉛筆ホルダーが内蔵されている製品が多いので、活躍の場は減っているかもしれない。そういえば、70年代には「消しゴムつきキャップ」なんてモノも流行していた

●鉛筆キャップ(4本セット)

発売年：1975年ごろ　価格：105円

問合せ：株式会社デビカ／052-794-9575

ねんどケース

七〇年代からほとんど変わっていないデビカ製「ねんどケース」。油粘土特有のムワッとした匂いが記憶のなかによみがえってきそうな懐かしいデザインだ。最近は各社から「匂わない油粘土」が発売されており、色も昔の深緑色ではなく、かなり白っぽいものが主流。が、あの匂いと感触が、遊び終わったあともいつまでもしつこく手に残る油粘土でなければ、「粘土遊びをした」という実感は持てないような気がする。

幼稚園では、お弁当の後が「粘土の時間」、もしくは「お絵描きの時間」だった。お弁当を早く食べ終わった人から、どちらかを選んで時間をつぶすことになっていた。どういうわけか、男の子は粘土、女の子はお絵描きを選ぶ割合が多かったと思う。粘土遊びが特に好きだった僕はもちろん「粘土派」で、早く創作活動に没頭したいがためにいつも慌ててお弁当をたいらげた。「ごちそうさま」と同時に大きな粘土板を取り出し、怪獣作製などに没頭したが、今考えると、まだ食事をしている子にとって、すぐそばで油粘土をこねくりまわされるのはとんでもない迷惑だったと思う。

粘土でなにをつくっていたのかを思い出してみると、70年代の男の子たちはアニメや特撮モノの怪獣やメカ系ばかりを手がけていたような気がする。つくるのも楽しいが、「はい、おしまい」という先生の合図で創作物をグワシッと壊すのも快感。自分が怪獣になったような気分を味わえた

●ねんどケース（500g用）

発売年：1975年ごろ　価格：210円

問合せ：株式会社デビカ／052-794-9575

レンズ定規

「虫メガネみたいなのがついた変な定規がなかったっけ？」という話が編集部で出て、「あった！　あった！」とひとしきり盛り上がったものの、その正式名称も、なにをするための道具だったのかもはっきりしない。誰もがただ「なんだか知らないけど家にあったような気がする」と証言するだけなので、最後まで捜索に苦慮した商品。

正式名称は「レンズ定規」、もしくは「ルーペ付き定規」。ストレートな名称なのである。で、その使い道だが、厳密には文房具ではなく、「式典用品」(？)ということになるらしい。つまり、なんらかのフォーマルな式典などで参加者がよくリボンつき造花（徽章《きしょう》リボン）をスーツの胸ポケットにつけるが、あの造花をくりつけておくモノなのだ。ルーペ部分に花をつけ、定規部分をポケットに差し込む。要するに、「式典終了後はルーペ、もしくは定規としてお使いください」というオマケ的商品なのである。

これがよく家に転がっていたという人は、たぶんお父さんやおじいさんが、商店街やら町内会やらＰＴＡやらの会合に盛んに呼ばれるタイプの人だったに違いない。

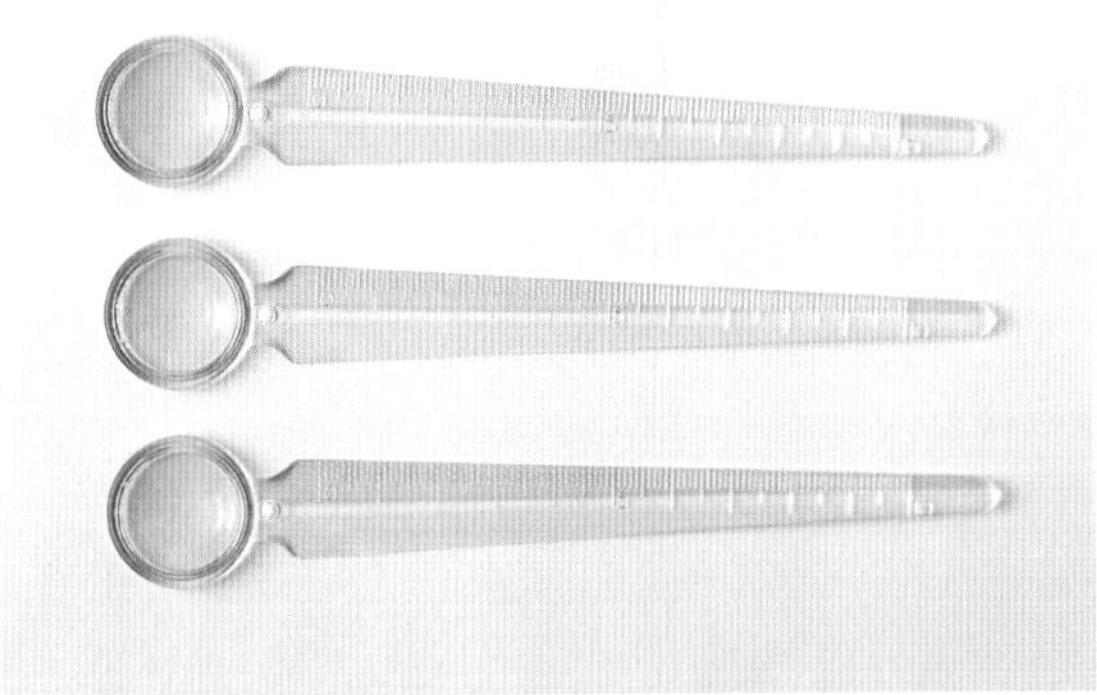

記章・徽章用品専門店などでは10本セットで販売されることが多い。我が家ではよく祖父がどこかから持ち帰ってきた。手裏剣や粘土ヘラの代わりにして遊んでいた記憶がある。どこの家でも、最終的には子どものオモチャになるパターンが多かったのではないだろうか？

●レンズ定規（大）

発売年：1970年代なかば　価格：20円前後
問合せ：銀鳥産業株式会社／052-241-9341

ロケットペンシル

芯をリレー式に押し出す方式の筆記具。なんと世界特許まで取得している商品だ（現在、特許の期限は切れている）。六〇年代なかば、「鉛筆を削るのがめんどくさい」と考えた台湾人によって開発されたといわれる。日本では「台湾鉛筆」と呼ばれたが、アポロ11号月面着陸を機に「ロケットペンシル」と称されるようになった。すでにシャーペンが一般化していた七〇年代も、ギミックつき文具として一定の人気を誇っていた。特に流行《はや》ったのが、十数色の芯が入った色鉛筆バージョン。

小学生時代、算数の時間に「グラフに色を塗る」という授業があった。色鉛筆を忘れてしまったことに気づいて青くなったが、筆箱の中に「ロケット色鉛筆」を発見して安堵。しかし、先生の「はい、ここを赤に塗って！　次にここを青！」という指示に「芯の入れ替え」が追いつかない。慌てふためく僕を見かねた隣の女子が「先生！待ってあげてくださーい！」などと発言し、「色鉛筆忘れ」が発覚してしまった。「これだって色鉛筆です」と言い訳したが、まったく聞き入れてはもらえなかった。

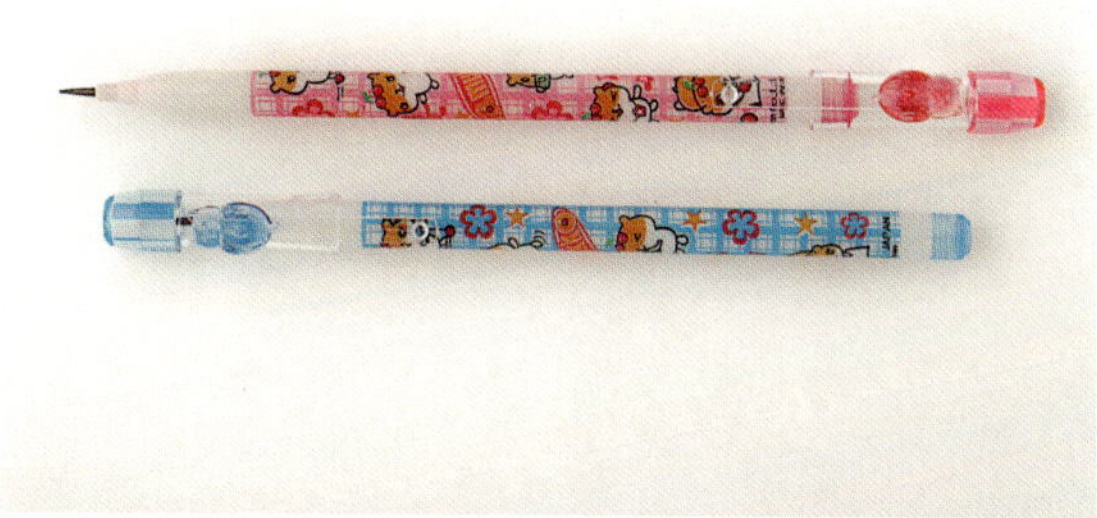

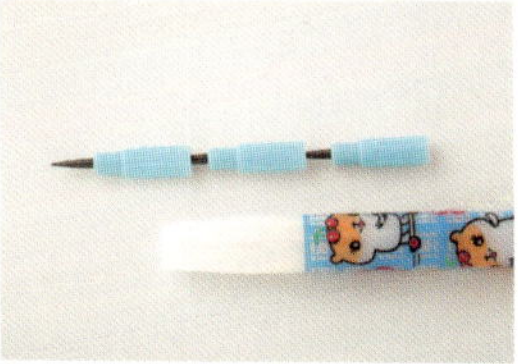

色鉛筆バージョンが1本入っている5本セットもあり。カラー芯は全11色。いくつかの他メーカーの商品もあるが、基本的にはどれも女の子仕様のデザインで、キラキラのラメ入りみたいなものが多い。かつて「ロケット鉛筆」に魅了されたのはむしろ男子だったのだが……

●ロケットペンシル

発売年：1970年代なかば　価格：105円(3本セット)
問合せ：レモン株式会社／電話番号非掲載

バインダーMP

七〇年代からほとんど変わらないデザインで販売されるコクヨの事務用バインダーである。書類や帳簿の整理用ファイルとして一般企業でも昔から使用されているが、よく見かけるのがお役所などの公共機関。区役所や図書館、あるいは学校の職員室などの書類棚には、この「MP」のシブい背表紙がズラーッと並んでいることが多い。

ビックリしてしまうのが、その価格。A4サイズ30穴タイプが、なんと約二五〇〇円！同型のバインダーが百均ショップで買えるご時勢に、それでも多くの企業や公共機関が「MP」を購入しつづけるのは、その機能性、特に圧倒的な「堅牢性」ゆえだ。無骨だが考え抜かれた綴じ具は一度バインドした書類を絶対に脱落させないし、とにかく何十年使いつづけても壊れない。商店を経営していた我が家にも帳簿整理用の「MP」が大量にあったが、表紙のクロスが経年劣化で変色して、擦り切れていたりするものも多かった。おそらく、父が祖父から引き継いだものだったのだと思うが、そんな状態になってもキッチリとバインダーとして機能しつづけていたのである。

●バインダーMP（A4／100枚／30穴）
発売年：1976年　価格：2467円
問合せ：コクヨお客様相談室／0120-201-594

いかにも頼もしい感じの金属綴じ具。最大収納数100枚をフルにバインドした状態で誤って落としたりしても、まず開いてしまうことはない。タフさだけではなく、開きやすさ、閲覧しやすさ、書類の追加のしやすさなど、さまざまな面で考え抜かれた構造を備えている

プリット ひっつき虫

誰もが一度は使ったというモノではないので、「なんじゃ、こりゃ?」と思う人も多いだろう。ポスターなどを壁に飾るためのペースト状の物体で、要は「画鋲《がびょう》の代わり」。ポスターや壁に穴をあけずにすむし、留め跡も残さないスグレモノなのだ。

発売時は大々的にテレビCMが打たれた。確か愛川欽也が「ひっつき虫! ひっつき虫!」と連呼するような内容だったと思う。子どもには商品コンセプトなどはほとんど理解できなかったが、とにかく文具とは思えない商品名にインパクトがあって「ほしいっ!」と思った。当時はトミーの「ミーバ」など、粘土状の不思議なオモチャがアレコレ流行していて、そういうもののひとつとしてとらえていたのだと思う。

親にねだって買ってもらうと、手近な紙類を勉強机の前に貼りまくったが、すぐに飽きてしまい、最終的には単なる粘土のようにこねくりまわして遊んだ。この商品の実力に気づいたのは社会人になってからで、本当にすこぶる便利なのだ。現在も僕の仕事机の前にはさまざまな書類が「ひっつき虫」で貼りつけられている。

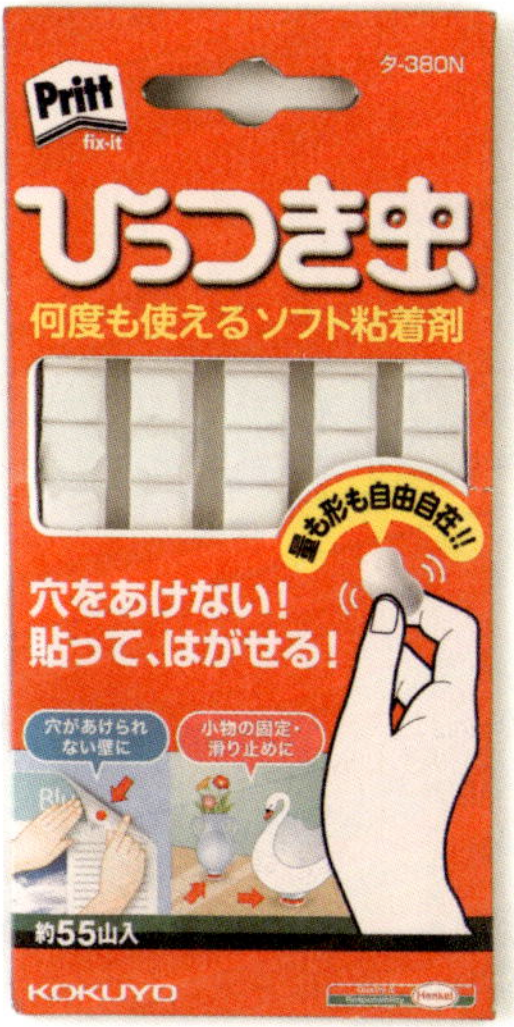

一時期、生産中止状態にあったが、愛好者の熱烈な要望で2003年に復刻。この商品に70年代への郷愁を密かに感じている人も多い？　メモの仮止め、小物の滑り止め・転倒防止、穴をふさぐパテ代わりなどにも使える

●プリット ひっつき虫

発売年：1977年(2003年)　価格：315円(55山入り)
問合せ：コクヨお客様相談室／0120-201-594

シャーボ

「右へまわすとシャープペンシル。左へまわすとボールペン。『シャーボ』と呼んでください」……渋い声のナレーションに合わせて、画面にはメタリックな「シャーボ」のボディーが大写しになり、カチリ、カチリとペン先が切り替わる。あのCMをひと目見れば、男の子なら即座に「ほしいっ!」となるのは当然である。まさに「超精密機器」という感じ。特に、一九七七年といえば映画『007私を愛したスパイ』が大ヒットした年。精悍なデザインと画期的機能を持つ「シャーボ」は、「ボンドが『Q』から渡される秘密の道具みたい!」に見えた。まぁ、英国秘密諜報部員には、シャーペンとボールペンが切り替わったところで大したメリットはないだろうけど。

「ほしい」とは思ったものの、とても小学校低学年のこづかいで買えるシロモノではなく、確か中学の入学祝いに叔母さんからもらったのだと思う。ズッシリと重たい金属ボディーに黒の格子柄が彫り込まれた最初期モデル「S」は、今見てもホレボレするフォルム。手にしたその日は、一日中、飽きもせずカチカチやりまくった。

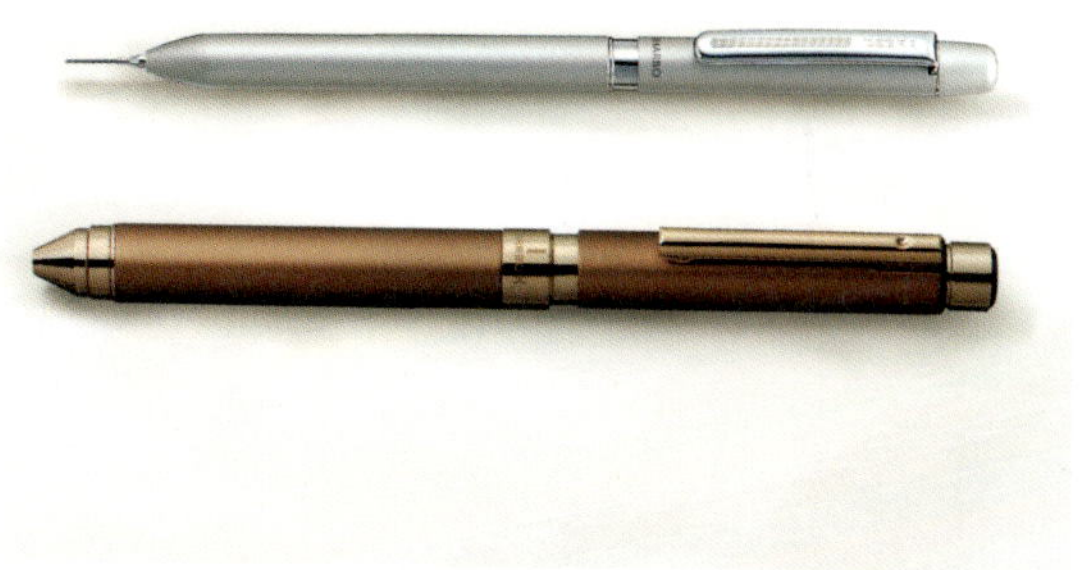

今では500円程度で買えてしまう廉価版もあるが、メインはやはり重厚な高級モデル。写真上はメタリックな仕上げが美しい「手帳用シャーボ＋1」(2100円)。赤と黒のボールペンとシャープの3機能を持つ。下は「シャーボX」(10500円)。3機能の組み合わせを自由にカスタマイズできる

●シャーボ

発売年：1977年　価格：525円〜10500円
問合せ：ゼブラ株式会社／0120-555-335

サクラパレット

ちょっとゼイタクな二四色用の大きなパレット。七〇年代からほとんど変わらないデザインで今も売られる逸品なのだが、懐かしいのはむしろ紙箱である。

現在、文具類も主要な卸先は量販店かスーパー。こうした店舗は売り場の棚の「省スペース問題」に非常にシビアなので、フックに吊るして陳列できるピロー（ビニール袋）包装の商品でなければなかなか扱ってくれないという現状があるらしい。

なので、かつては味わいのある紙箱入りで売られた商品が、次々にペラペラの袋に入れられて虚しく吊るされている。この「サクラパレット」も紙箱入りは在庫希少で、現在流通しているものの多くがピロー包装バージョンだ。あの紙箱を見ると、小学校入学当初、さまざまな一括購入の学用品を配布され、先生から「すべてに名前シールを貼ってきなさい」などと言われたころの記憶がマザマザとよみがえってくる。が、袋入り「サクラパレット」は非常に無個性に見えてしまい、まったく記憶を刺激しない。モノにまつわる記憶は、実はパッケージの印象が支えていることが多いのだ。

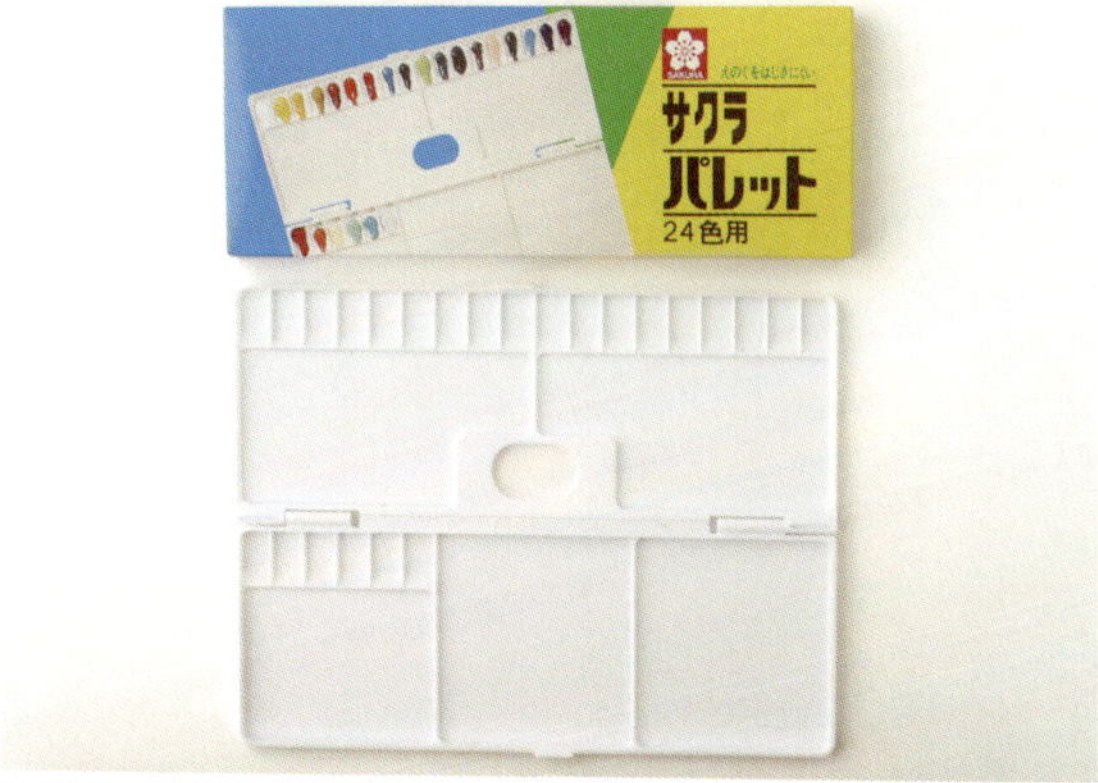

箱裏面には商品の特徴がちょっと古風な文体で解説されている。「えのぐをはじきにくい　ゆったりした広さ　使いやすい」というストレートなコピーがステキ。こういう箱はすぐに捨てられてしまうものだったが、なぜか妙に印象に残っているのである

●サクラパレット 24色用

発売年：1977年　価格：577円

問合せ：株式会社サクラクレパス／06-6910-8800

上履袋

「いかにも昭和の園児」というデザインの「上履袋」。小売りもされるが、基本的には幼稚園が大量購入し、「園名・園章」を入れたうえで園児たちに配布する商品だ。

入園直前、幼稚園アイテム一式が届けられた日のことを覚えている。ワラだか籐だかでかたく編んだ帽子に、スモック形の制服、肩からななめにかける小さな通園バッグ、そしてこの種の黄色い「上履袋」。届いたその日、「いよいよ通園!」で浮き足立つ両親や祖父母にすべてのアイテムを装備させられ、同じ幼稚園に入園する、やはりフル装備の「八百屋のイッチャン」と二人で並んで玄関前で記念写真を撮った。

かつては節目節目に玄関前で記念写真を撮る、という風習がどこの家にもあった。小学校入学時はランドセルを背負って、七五三のときは千歳飴をぶらさげて、夏祭りの日はハッピ姿(鼻に白粉で化粧されるのがイヤだった)で、中学は詰め襟姿で……などなどの「玄関前のコスプレ記念写真」。個人的には恥ずかしくてたまらなかったが、平成っ子たちもやはり親からああいう恥辱プレイを強要されているのだろうか?

とにかく小さい！　靴が1足分入るとはとても思えない大きさである。デザインのポイントは昔ながらの名札ポケット。厚紙などに名前を書き、ここに差し込む。HPから通販可能。ただ、園名・園章を入れる場合は特約代理店に発注しなければならない。紺色のバージョンもあり

●上履袋

発売年：1977年　価格：1200円
問合せ：株式会社学研教育みらい／電話番号非掲載

特選お花紙

薄いピンクや水色の造花をつくるための専用紙。幼稚園の教室の飾りや、小学校の運動会や学芸会、ときどき行われたクラス単位の「お楽しみ会」（学期末などに開催される趣旨のよくわからない余興大会）などには、今も欠かせないアイテムだ。

基本的に、花の製作はイベントの実行委員の子どもたちの仕事だった。今回、初めて花づくりに挑戦してみたが、思ったよりもむずかしい。運動会の「手づくりゲート」（「第○年度　○○小学校　大運動会」みたいな文字がデカデカと書いてある門）や、赤組白組の点数を表示する巨大な得点表は、色とりどりの無数の花で埋めつくされていたのを覚えている。実行委員の子たちは、さぞかし大変だっただろう。

ところで、運動会の得点表といえば、今も気になることがある。小学校の運動会では、赤組と白組が交互に勝利するパターンが何年もつづいていた。あまりにデキすぎているので、「お弁当の時間に、先生たちがこっそり得点表を操作している」という「陰謀説」がまことしやかにささやかれていた。あり得ない話でもないと思う。

●特選お花紙

発売年：1978年　価格：189円
問合せ：株式会社トーヨー／03-3888-7821

「教育おりがみ」で知られるトーヨーの製品。この独特の淡い色は昔から変わらない。ちょっと貧乏くさい感じがしなくもない独特の色合いが、いかにも「学校」っぽくてイイのである

彫刻刀

彫刻刀といえば、ちょっとシブい大工道具みたいな純和風のモノ、というイメージだが、昨今の学童用彫刻刀はだいぶ様変わりしている。カラフルな「ソフトラバーグリップ」（シースルーで、なおかつラメ入りだったりする！）を採用したり、ファッショナブルな専用ケースなどをつけたりと、華やかな商品が増えているのだ。

が、ここで紹介するのは「基本形」を維持するサンスター文具の彫刻刀。七〇年代の面影をシッカリと残す一品だ。やっぱり「彫刻刀」は木製グリップで、そのグリップ部分にメーカー名などの焼き印が押されている、というのが「らしい」。

小学生時代、どうも版画が苦手だった。絵に比べて圧倒的に「疲れる」からだ。版画においては「白い部分の面積の大きさ＝労働力」なので、なるべく白の部分を含まない画題を考えた。たとえば風景を彫る場合は「夜」ということにして、空を黒いままにする。しかし、それだけではあまりに魂胆がミエミエなので、一応、ポツポツと星を散りばめたり、ちっちゃな三日月を彫るなど、姑息な工夫を凝らしたものである。

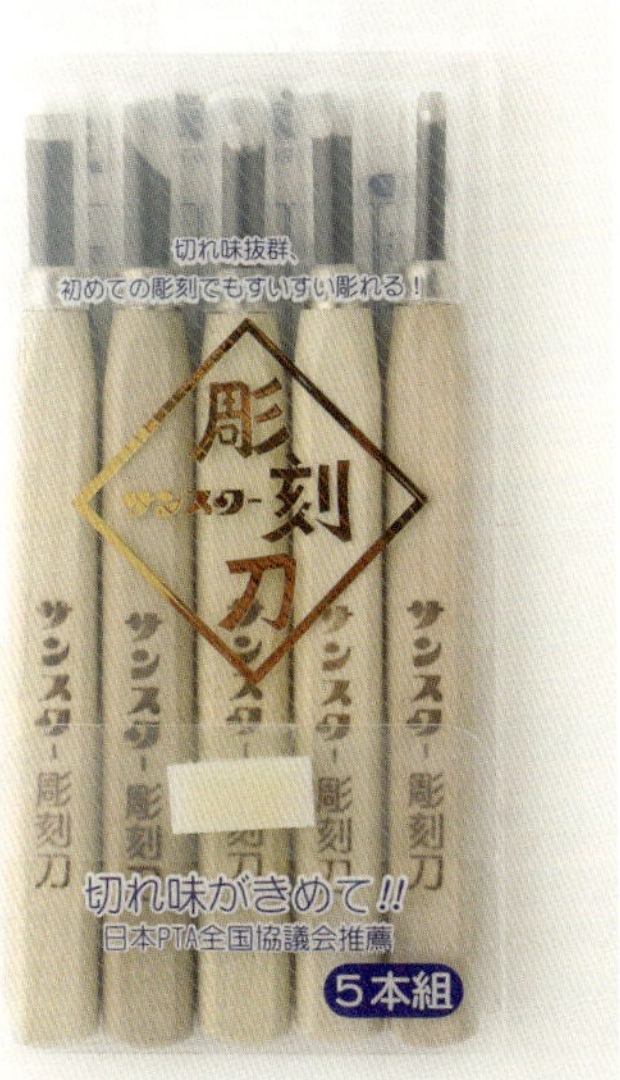

4本組(735円)、6本組(1050円)もある。2000年に細部がリニューアルされている。軸には廃材を利用。ちなみに、70年代に多くの小学生が愛用したのは「トンボ彫刻刀」(トンボ彫刻刀製造所)。筆箱のようなハードケースに入っていて、小さな砥石が付属していたセットだ

●彫刻刀(5本組)

発売年：1978年　価格：892円

問合せ：サンスター文具株式会社／03-3872-7101

オーグルー

不易糊から発売された、当時としては超スタイリッシュな液体糊。発売時の七〇年代後半は、キュートさを強調したファンシー文具に代わって「キャンパスライフ系」「カレッジファッション系」が台頭しはじめた時期。三菱鉛筆の「BOXYシリーズ」など、クールでシンプルなデザインの文具がもてはやされた。この「オーグルー」もそのひとつだ。「かわいさ」から「アメリカンハイスクールっぽいモノ」へ。子どもたちはランドセルを捨て、「グルービーケース」や「ブックバンド」に持ち替えた。

あの必死の背伸び志向はなんだったのか、と考えて思い出すのが、七〇年代の小学生たちが園児時代に聴いたフィンガー5だ。席替え時に「クラスで一番の美人の隣をねらい、「ゲームに勝ったら口づけあげる」と挑発する「あの娘」のために「アメフト」に打ち込み、卒業式前日に「恋のテレフォンナンバー」をダイヤルして「リンリンリリン」という「学園天国」に憧れて小学生になった子たちは、現実の「学校生活」との落差をスタイリッシュなモノによって埋めようとした……のではないか?

これ以前、子どもたちはファンシーなキャラクターが描かれた固形のスティック糊を好んで使っていた。「オーグルー」の(当時としては)非常にクールなルックスはまさに画期的だったのである。発売当初は「赤キャップ」もあったらしいが、現在は「緑キャップ」のみ

●オーグルー(ペンタイプ)

発売年:1979年　価格:178円
問合せ:不易糊工業株式会社/03-3862-8551

ミストラル

七〇年代後半から八〇年代にかけて、「え?」というギミックを持ったシャープペンシルが小中学生の間でプチブームになったことを覚えている。ボディー横のボタンを押すサイドノック式(初登場は六〇年代)、シャカシャカと振ると芯が出るタイプ(手が疲れるうえに授業中にやると目立つ)、あと、ボタンを一回押すと芯が出て、さらに押すと芯が引っ込む……なんていう不可解なモノもあったはず。いくつかのモデルは今も販売されているが、多くは「時代の徒花《あだ》」として消えていったと思う。

そんな変化球的商品のなかで、「まだあるのか!」とうれしくなったのがコクヨ「ミストラル」だ。一見、高級感のある上品なペンだが、かなり大胆な発想の商品。ペンを握りながら芯を出すのはサイドノック式と同じだが、ボディー横にボタンはない。ペン軸中央に関節があり、そこをポキッと折ると芯が出るのだ。ちょっとトンデモ機構のようにも思えるが、使ってみると、これが意外に実用的で便利。しかも金属ボディーで壊れにくく、このあたりがギミックシャープとして生き残っている秘密なのだろう。

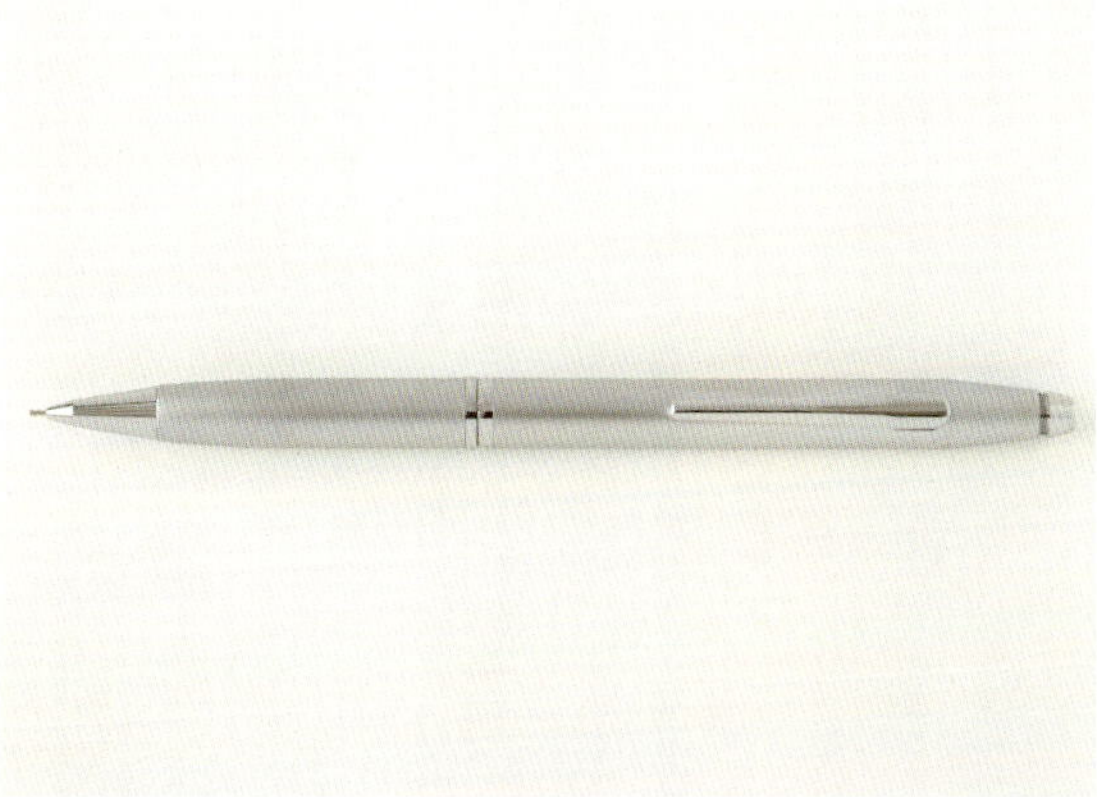

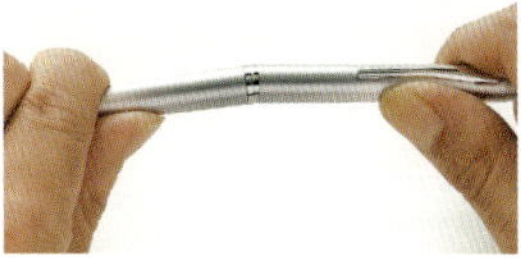

ボディー中央をポキッと折ることで芯が繰り出される。実際は握ったまま親指にちょっと力を入れるだけでノック可能。ボールペン(1050円)もあり、カラーはシャープ、ボールそれぞれシルバーとパールクリア(シャープ、ボールともに1575円)が用意されている

●ミストラル(シャープペンシル／シルバー)

発売年：1979年　価格：1050円
問合せ：株式会社コクヨ／0120-201-594

デザイン定規

歯車をクルクルと回転させて不可思議な幾何学模様を描くオモチャ。本家は六〇年代後半、英国で考案された「スピログラフ」だ。日本ではセイコウという玩具メーカーが発売し、かなり高価であったにもかかわらず大ヒットを記録した。当時からパチモンの廉価版は、駄菓子屋や文房具屋、縁日の屋台などの定番商品。七〇年代っ子の多くは、本家の箱入り豪華セットではなく、文具店・駄菓子屋で売られる「二軍落ち」の格安版で遊んだ人がほとんどだと思う。いや、遊べなかったという人もいるだろう。当時は成型のイイカゲンな不良品が多く、色鉛筆の芯をひたすら折りつづける「回転しない歯車」に業を煮やし、「もうやめたっ！」と放り出す子が続出した。

僕も放り出したひとりなのだが、今回、三〇年以上を経て再挑戦してみた。そもそもこのオモチャ、使いこなすのがかなりむずかしいのである。歯車をまわすときには微妙な力加減が必要で、相応の訓練期間とコツが必要らしい。何度やってもキレイな模様が描けず、再び園児時代のように「もうやめたっ！」と放り出しそうになった。

15回ほど失敗し、ようやく完成。浅草雷門付近には、昔からコレの実演販売を行うオジサンがいるが、いともたやすく美しい幾何学模様を量産している。あらためて尊敬してしまう

●デザイン定規

発売年：1970年代後半　価格：オープン価格

問合せ：レモン株式会社／電話番号非掲載

教育用ドッジボール

ミカサの小学校低学年用ドッジボール。小学校にあった車輪のついた檻《おり》のような「ボール入れ」のボールは、すべて「Mikasa」のロゴ入りだった。ミカサの資料によれば、同社はすでに一九五〇年にドッジボールを製造販売していたそうだ。当時は「国民の体力向上」を目的に、主に小学校向けに販売していたらしい。

小学生時代、ドッジボールは屋外の体育が中止になった雨天の日などに体育館で行われることが多かった。スポーツというより低学年向けの「遊び」という印象だが、考えてみればドッジボールほどハードな競技はほかにない。なにしろ「人にボールをぶつける」ことを「よし」とする、おそらく唯一の競技なのである。ドッジボールがはじまると、一部の女子がにわかに活気づいたのを覚えている。普段、男子からイタズラされたりイジワルされたりしている女子たちが、「ここぞ！」とばかりに男子に復讐の牙をむくのである。小四くらいまでは、男子よりも女子のほうが身体能力が高い。とてつもない豪速球が顔面めがけて飛んできたりしてシャレにならなかった。

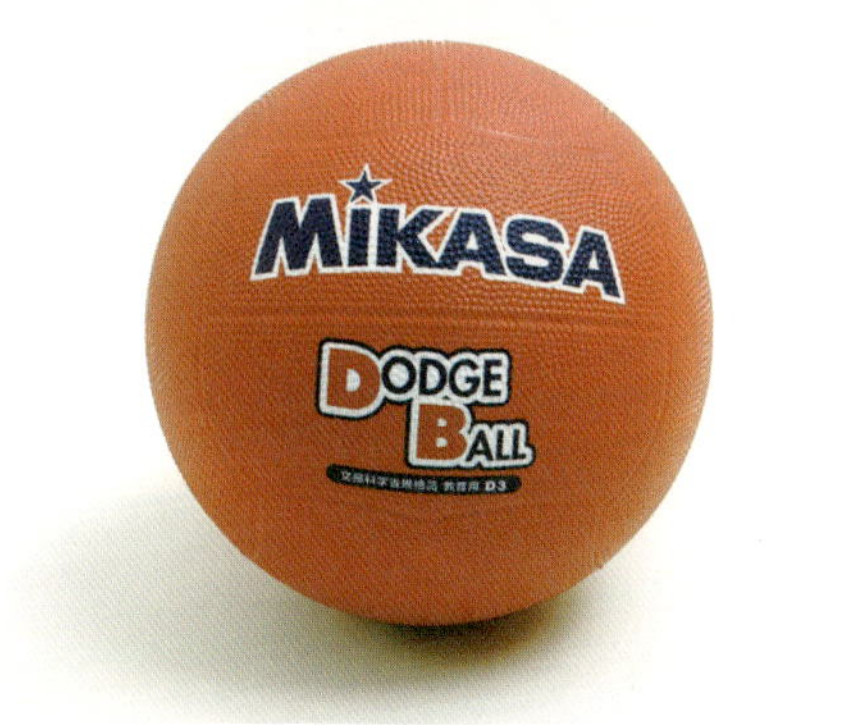

ミカサは各種球技の公式試合球を製造するメーカーだが、昔から学校教育用製品も多数供給している。このモデルについては詳細不明だが、すでに1970年版のカタログに掲載されているので、それ以前に発売されたものらしい

●ミカサ 教育用ドッジボール(3号)

発売年：不明(1970年代以前)　価格：1680円
問合せ：株式会社ミカサ／電話番号非掲載

ギター固型えのぐ

まだチューブを上手にしぼることのできない幼児のための「固型えのぐ」。水を含ませた筆で絵の具の表面をなでて使う。主に保育園、幼稚園で使用される商品だ。

いかにも「子どものモノ」としてデザインされた動物イラスト入りの金属製パッケージが、なんともかわいい。この商品は八〇年の発売だが、七〇年代くらいまでは、たいていの幼児向け商品がこういう「ほのぼの」とした雰囲気のパッケージに包まれていたような気がする。現在、デパートや量販店の「学童文具」のコーナーをのぞいてみても、こうしたタッチの商品をあまり見かけない。版権に縛られまくりのキャラ付き商品か、過剰に装飾されたギャル予備軍向けキラキラ商品か、そうでなければシンプルに洗練された機能的な商品ばかりなのだ。なんというか、それなりに「キュート」なモノはいっぱいあるのだが、ほのぼのと「かわいい」モノがないのである。

とはいえ、こうした「よいこのデザイン」を積極的に否定し、捨て去ってきたのが高度成長末期の僕らの世代、という気もするので、あんまり勝手なことは言えない。

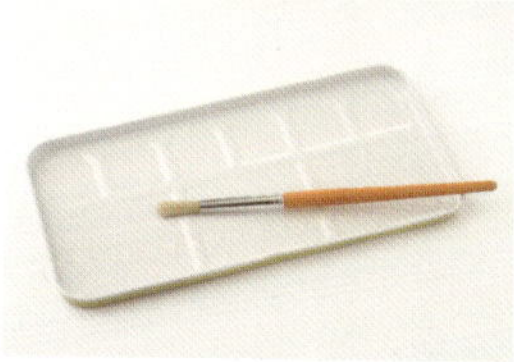

金属製のフタを裏返すとパレットになる。かつてはこうした金属製のパレットも一般的だった。12色セット(861円)のほか、大人向けの固型絵の具「ケーキカラー」(12色。861円)もある

●ギター固型えのぐ(8色セット)

発売年：1980年　価格：682円

問合せ：寺西化学工業株式会社／06-6928-3101

プラこうさくバン

商品名にピンとこない人も、「あの、オーブントースターで焼く板！」といえば思い出すのではないだろうか。ペラペラの薄い紙のようなプラ板に油性ペンで好きな絵を描き、ハサミで適当な形に切り抜いて、キーチェーンを通すための穴をあける。で、アルミホイルにのせてトースターに入れるとフニャ〜と縮み、ペラペラだったものが厚みのある小さなプラスチック板に変身。チェーンを取りつければキーホルダーのできあがり。描いた絵もギュッと縮小されるので、荒っぽいイラストもちょっと上手に見える。小学生時代、これを使ってせっせと「ドラえもん」キーホルダーを量産した。

ところで、当時、この商品をなんと呼んでいたのか、どうしても思い出せない。キチンとした商品名はついていなかったような気がする。周囲の友達も「焼く板」とか「ちっちゃくなる板」とか、いい加減な名称で呼んでいた。近所の「山下市場」の中にあった「ナウ」というファンシー文具店で売っていたことは覚えているが、そこでもお姉さんに「あの板くださーい」なんて言って買っていたような気がする。

デビカ製の現代版は、いたれりつくせりの内容。透明のプラ板(かつては白が主流)のほか、動物キャラなどのイラストがプリントずみのもの、さらにキーチェーンまでパッケージされている。今では子どもが遊びでつくる以外にも、学用品のネームプレートとしても活用されているようだ

●プラこうさくバン

発売年：1980年ごろ　価格：315円

問合せ：株式会社デビカ／052-794-9575

給食着

おなじみの給食当番用かっぽう着。前開きタイプのスタンダードなスタイルだ。給食当番という「強制労働」のしきたりには、学校や地域によって多少の違いがあるらしい。かっぽう着を各自が購入し、当番は常に自分専用のものを着るという学校もあるようだが、通常は共有の備品のひとつになっているのではないかと思う。

僕の小学校では、教室の入り口近くの壁に小さなフックが並んでいて、そこに「給食着袋」をひっかけておくことになっていた。一週間ごとに各班（一班が四人。一クラスは八班で構成……だったと思う）で当番を持ちまわり、最終日には給食着袋を持ち帰って洗濯し、アイロンをかけて、月曜日に再び壁のフックにひっかけておく。で、必ず出てくるのが「持ち帰り」を忘れるヤツ。月曜日、壁にかかったままの袋を発見して失態に気づくのだが、たいていはしらんぷりを決め込む。案の定、次の当番の女子が袋を開いたとたんに「あ！」と叫び、「先生！　○○君、かっぽう着を洗ってませんっ！　シワクチャですっ！」などと黄色い声で告発する事態になるわけだ。

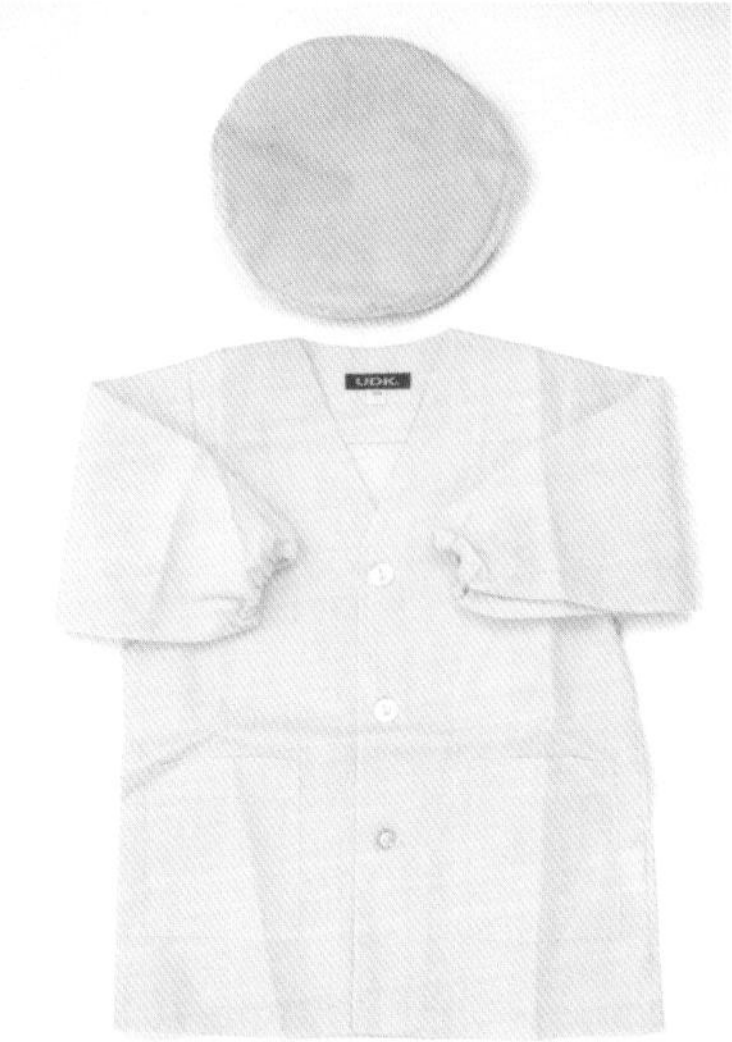

●**給食着**

発売年：1980年ごろ
価格：給食着1680円、給食帽350円、給食袋480円
問合せ：株式会社宇髙／0120-847-235

一式を給食着袋に入れた状態。ランドセル脇の金属ホックにぶらさげて持ち帰るのが基本だったが、手にぶらさげた袋を、道々けっ飛ばしながら帰る男子も多かった

ポケットカラーペン

一センチ程度の色とりどりの芯を差し替えて使用する色鉛筆。この種のギミックを採用した色鉛筆は、六〇年代後半に寺西化学から発売された「マニカラーペンシル」が元祖とされている。これ、僕ら世代なら「誰もが一本は持ってた」というほどのベストセラーだったのだが、残念ながら今では生産中止。当時から類似品が多かったが、その類似品のほうは現在でも生きのびており、このレモンの商品もそのひとつだ。「マニカラー」は大ヒットを受けていろいろとシリーズ展開したのだが、個人的に懐かしいのは「マニカラードッキングペンシル」という商品。一二色のロケットのような小型カラーペンをパチパチとドッキングさせると、レインボーカラーの長～いペンになるというものだった。同じように数色のサインペンを連結できる「マニカラーサインペン」、カラフルな消しゴムを連結できる「マニカラー消しゴム」なども発売された。「消しゴム」あたりから徐々にコンセプトが怪しくなって、もはや文具から離れて単なる「つなげて遊べるオモチャ」になり果てていった印象がある。

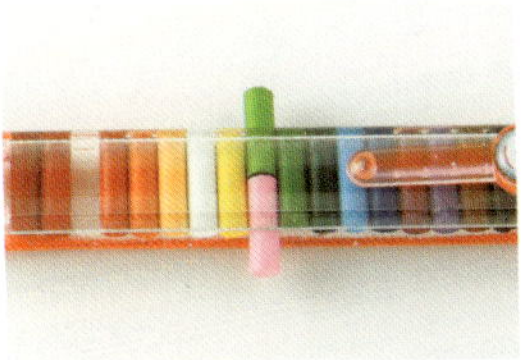

金、銀を含め、全20色の芯を装着できる。芯を交換するときは、ペン先からはずした芯で使いたい色の芯をギュッと押し出して抜き取る。販売される店舗によってパッケージが異なり、商品名が「クリスタルポケットカラーペン」と表記されていることもある

●ポケットカラーペン

発売年：1980年ごろ　価格：105円

問合せ：レモン株式会社／電話番号非掲載

ニューハード

「みえる、みえる」という声に合わせて大きな目玉がギョロリと動く。あのＣＭで一九六六年に登場したのが、ゼブラの透明軸ボールペン「クリスタル４１００」（通称「ゼブラクリスタル」）。この商品は八五年に生産中止となったが、「クリスタル」の弟分として発売された「ニューハード」「ニュークリスタル」は今も現役である。

これらの透明軸のボールペン、元祖はゼブラではない。あのオレンジ軸でおなじみのＢＩＣのほうが先だったのだそうだ。六〇年代当時、スケート靴にペンを取りつけて氷上をズリズリと滑走し、「それでも大丈夫！」といった強烈なＣＭで透明軸ＢＩＣは売り上げを伸ばしていた。これに対抗するため、ゼブラはＢＩＣの弱点を研究。で、「透明軸なのにインク残量が正確にわからない」ということに目をつける。チューブの内側の壁にインクがこびりつき、「減っているのに減っていないように見える」というのがＢＩＣの最大の弱みだった。そこでゼブラはインクがチューブ内壁に付着しないペンを開発。本当の意味で「みえる、みえる」な透明軸ボールペンで対抗したのである。

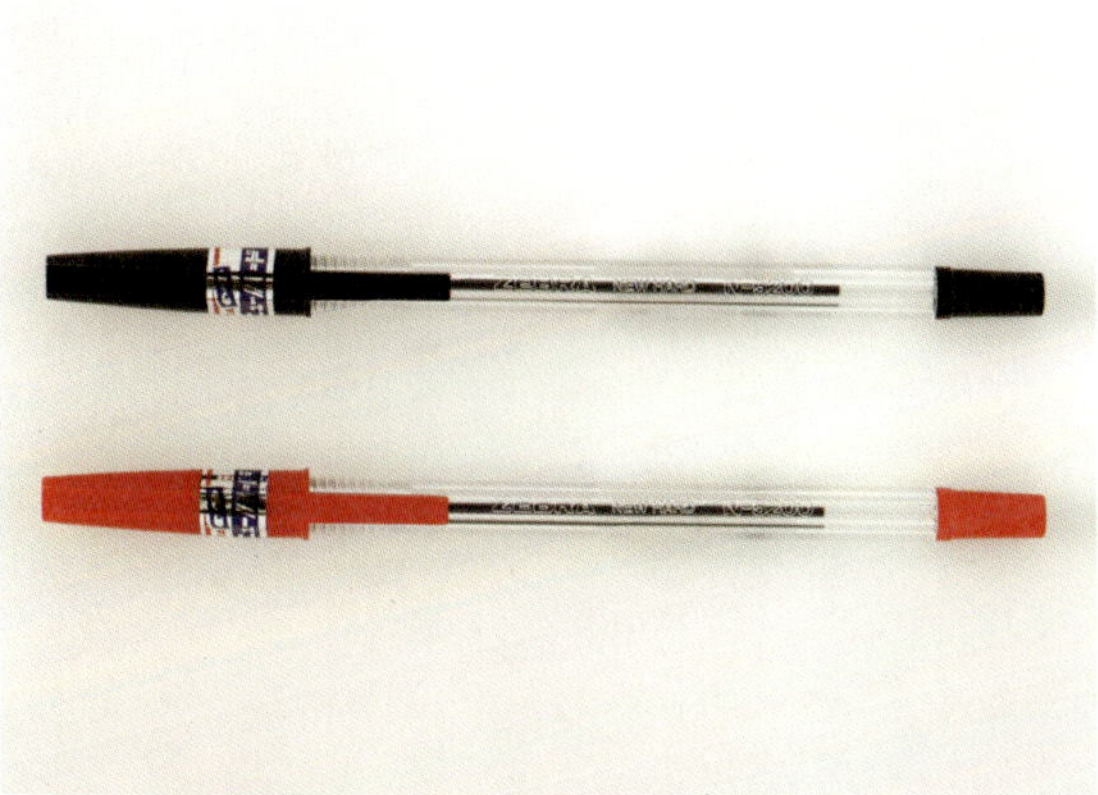

黒、青、赤のラインナップ。うれしいことに今も「目玉マーク」のシールつきで売られる。「みえるみえるシリーズ」には数年前まで「ハードクリスタル」が流通していたが、現在は製造終了。発売当初は、「インクが見えるうちに書けなくなったら新品と交換」というキャンペーンも行われた

●ニューハード

発売年：1982年　価格：84円

問合せ：ゼブラ株式会社／0120-555-335

チェックセット

マーカーとマークした部分を不可視にするシート、そしてマーク部分を取り消す消去用ペンの三点セット。現在も「暗記のための三種の神器」として君臨している。

この商品、ちょうど僕が一五歳のとき、つまり「いよいよ高校受験！」という年に発売された。もちろん即座に購入。教科書や参考書のあちこちにマークしまくり、シートをかぶせまくった。で、その成果があったのかというと、これはかなり微妙である。もの珍しいツールの活用に夢中になるあまり、「マークした＝暗記が完了した」という危険な思考に陥っていたような気がする。また、この暗記システムには、シートに目を近づけてジーッと凝視していると、光の加減で文字が見えてしまうという落とし穴があった。こちらの集中力が高まっていると、実は無意識にシートの下の文字を盗み見ているにもかかわらず、「なぜかスラスラと答えが出てくるゾ！」などと自滅的な勘違いをしてしまったりする。結局、志望校には落ちたのだが、数日後に「補欠で合格」の通知を受諾。この複雑な結果も「チェックセット」の恩恵なのか？

●チェックセット

発売年：1982年　価格：378円

問合せ：ゼブラ株式会社／0120-555-335

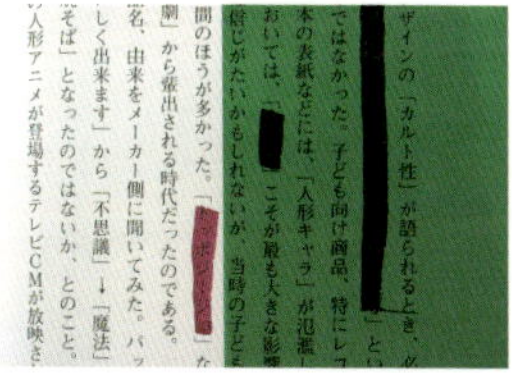

ザインの「カルト性」が語られるとき、必
「[redacted]」とい
ではなかった。子ども向け商品、特にレコ
本の表紙などには、「人形キャラ」が氾濫
おいては、「[redacted]」こそが最も大きな影響
信じがたいかもしれないが、当時の子ども
間のほうが多かった。「[illegible]」な
劇」から輩出される時代だったのである。
名、由来をメーカー側に聞いてみた。パッ
しく出来ます」から「不思議」→「魔法」
そば」となったのではないか、とのこと。
人形アニメが登場するテレビCMが放映さ

補色の特性を利用したこの商品、最初に「緑シート」が発売され、3カ月後に「赤シート」が登場した。現在、マーカーの代わりにテープを貼る「チェックテープミニ」（367円）も販売されている

バンビコロン（匂い玉）

通称「匂い玉」もしくは「香り玉」。香料を練り込んだビーズ状の樹脂である。

完全に女の子限定アイテムなので、今回の取材で初めて実物を手にした。小学生時代、通学路にあった文房具屋さんにビーズ入りの小ビンが箱に入って並んでいたが、こういうキラキラした女の子向け商品は近寄りがたく、なにに使うモノなのかも謎のまま。今思えば、あれが「匂い玉」だったのだ。子ども時代の「男の子文化」「女の子文化」の溝はけっこう深く、互いに閉ざされている部分がかなり多かったと思う。「匂い玉」の使い方について周囲の元少女たちに聞いてみたところ、ただ単に直接ビンから香りを嗅《か》いで恍惚《こうこつ》となる……という危険な感じの楽しみ方も一般的だったようだが、低学年だと「名札の裏に入れておく」というのが定番だったらしい。名札をつけなくなる中学年以降は「筆箱に入れる」が典型的な使用法。しかし、香りつきティッシュや紙石鹸など、小学生女子の流行《はや》りモノのほとんどがそうだが、やはり「友だちと交換する」というコミュニケーションツールとして機能していたようだ。

レモン、メロン、イチゴなど全4種。「匂い玉」のブームは70年代後半ごろから。ブーム最盛期にはPTAが「誤って口に入れる子がいたら危ない」などと騒いだりして、「持ち込み禁止」にする学校も多かったらしい

●バンビコロン

発売年：1980年代前半　価格：各30円
問合せ：株式会社柴田ゴム工業所／06-6731-2759

フォトコーナー

別項で「フエルアルバム」の話を書いたが、実家に戻ったときなどに幼少期の家族写真をひっぱりだして「わぁ、懐かしいっ！」と思ってしまうのは、写真の内容だけではない。その四隅に貼りついている「三角コーナー」に強烈な郷愁を感じてしまう。

これ、今の若い人たちにどの程度知られている商品なのか見当がつかないのだが、ポケットのついた三角形のシールで、写真の四隅をポケットに差し込んでアルバムの台紙に固定する。七〇年代までは写真の整理には欠かすことのできないものだった。

誕生は古く、昭和初期にはすでに売られていたそうだ。これ以前は写真に直接糊を付けてアルバムに貼りつけていた。そして六〇年代なかごろに、現在主流の透明カバーで写真を固定するアルバムが登場したらしい。おもしろいのは、新しい方法が考案されても、なぜか旧来の方法もきっちりと残っているということである。三角コーナーもこうして販売されているし、写真用の糊も「写真用セメダイン」などが今も売られている。「これじゃないと感じが出ない」と考えるカメラ愛好者が多いのだろうか？

「これが一番写真を傷つけない」という持論を持つ昔からの愛好者だけでなく、レトロ感が気に入って使いはじめる若いユーザーも多いそうだ。写真の白いタイプのほかに、「フォトコーナー(紙製)／ブラック」367円)も販売されている

●フォトコーナー(ホワイト)

発売年：1980年代前半　価格：262円

問合せ：ナカバヤシ株式会社／0120-166-779

教育セロファン

大人になっても折り紙をホビーとして楽しんでいる人は多いらしい。が、この「教育セロファン」、つまりカラーセロファンは、子ども時代にしか使わない商品の代表だと思う。小学校を卒業すると、こういう商品があったということすら忘れてしまう。

幼稚園や小学校の図工の授業では、主にステンドグラス風の装飾を施す工作に用いたが、個人的には小学校の学芸会で行った「影絵人形劇」の記憶がナマナマしい。厚紙とカラーセロファンでつくったパペットに、色とりどりのライトをあてて演出する大劇だった。出しものはアンデルセンの「人魚姫」で、僕は王子様の人形を製作する大役を担った。しかし、その王子の造形が、どうしても当時大好きだった『ルパン三世』に酷似してしまう。で、主役の人形を担当した絵のうまい女子は、どう見ても『キャンディ・キャンディ』にしか見えない人魚姫をつくってきたのである。

かくして、クラスの「影絵人形劇」はルパンとキャンディス・ホワイトの悲恋となったが、周囲からは「なんかバランスがヘン！」と言われ、大不評だった。

「教育おりがみ」のトーヨーの商品。赤、黄、青、緑、透明の5色セット(赤4、その他2の計12枚入り)。ステンドグラス製作用の型紙つき。同じく学校工作ならではの懐かしい商品として「カラーホイル」(アルミ箔の折り紙。126円)もある

●教育セロファン

発売年：1985年　価格：126円
問合せ：株式会社トーヨー／03-3888-7821

カラーグリッター

いわゆるラメ入りのペン。原料は液体糊なので、この種のペンは糊メーカーから発売されるケースが多い。現存する最古のものがこのニシキ糊製だが、ヤマト糊や不易糊も同種の製品を販売している。七〇年代に小中学生女子の間でブームになったのは米国製の輸入品。その後、サンスター文具が初の国産品を発売した（現在は消滅）。

小学生時代、小さな紙切れを使った「ミニ手紙」は、授業中における生徒間の重要な通信手段だった。前の人の肩をポンポンとたたき、「まわして」とささやいてこっそり「送信」する。男子の手紙は、たいていは破ったノートの切れっぱしに鉛筆で殴り書きされたものだったが、女子の手紙は労力が惜しみなく注がれており、各種色つきメモ用紙と蛍光マーカーをフル活用、ときには小さなシールなどが貼りつけられていた。一時期、この「ミニ手紙」にラメが多用、いや、乱用された。「女の子はやることが細かいなぁ」と感心したが、今思えば、感心すべきは彼女たちの細やかさではなく、授業中に多種多様なツールを駆使して手紙を書く「傍若無人さ」である。

キラキラと輝く立体的な線が引ける。乾くまでに30分必要。画材として使用するほか、「ツメに塗って遊ぶ」という楽しみ方もあったらしい。現在の小学生女子にもおなじみの商品

●カラーグリッター(8色セット)

発売年:1985年　価格:840円(単品は105円)

問合せ:ニシキ糊工業株式会社／03-3618-1327

事務用海綿

紙めくりツールは文具のなかでも脇役的な商品だが、この天然海綿&ガラス製海綿壺の古典的セットはもっとも地味、かつシブい存在感を漂わせる一品である。その昔は役所や郵便局、銀行のカウンター、商店のレジ横などでよく見かけたものだ。母親と一緒に郵便局に行ったときなど、作業台の上の海綿壺に指を突っ込んでジュワ〜っと水を染み出させ、「やめなさい!」などと怒られたことを覚えている。

昨今、この種のものは化繊スポンジとプラスチック製の容器にとって代わられ、その事務用スポンジすら、なぜかあまり見かけなくなってしまった。サックやクリームの滑りどめが普及したからかもしれないが、なんというか、こうした昭和の時代には多用された「あれば便利な用途の狭い専用ツール」みたいなもの全般を、今は「なしですませる」傾向がある……ように思う。いろいろと余裕がないということなのか?

現在では、天然の事務用海綿を販売しているのは大手メーカーではコクヨのみ。天然海綿は化繊よりも保水力が高く、長時間放置してもなかなか乾燥しないのだそうだ。

デスクに置いただけで、周囲の空間がなんとなく「昭和のお役所」っぽくなる独特の雰囲気。ちなみに、原料となる海綿は海綿動物と総称される原始的な海の生物。繊維質の体を持った無脊椎動物だ。このフワフワは生物の体なのである

●事務用海綿

発売年：1987年　価格：567円

問合せ：コクヨお客様相談室／0120-201-594

くねくね鉛筆

別名「スネークペンシル」。二〇センチを超える長い鉛筆で、ゴムのようにくねくねと曲がる。もちろん、ちゃんと書くこともできるし、通常の鉛筆のように削ることもできる。製造販売を行うのは東京下町の老舗鉛筆メーカー、キリン鉛筆。鉛筆の芯の部分に樹脂を使用するというアイデアで、日本初の「曲がる鉛筆」の開発に成功した会社なのだ。七〇年代っ子なら「懐かしい！」と思うと同時に、発売年の「一九八〇年代後半」にひっかかるはず。そう、この種の商品はすでに七〇年代にも存在していた。なのに、パイオニアのキリン鉛筆の発売年が八〇年代後半とはどういうことか？

メーカーによると「くねくね鉛筆」のブームは二回あり、第一次ブームは我々世代が小学生だった七〇年代なかば。このときに流行《はや》ったのは米国製の輸入品だったそうだ。それから一〇年以上を経て、初の国産商品がキリン鉛筆から発売され、再び小学生の間にブームが起こった。つまりこの「くねくね鉛筆」、バブル世代と就職氷河期世代の両方に「懐かしいよねぇ、これ！」と言わせてしまう稀有な商品なのである。

写真の商品は1本157円。断面が星の形になっているタイプだ。このほか、ハート形断面のものや、一面にキャラクターがプリントされたもの、消しゴムつきのものなどがある。70年代は「好きな長さにカットして使う」のが定番だったが、今の子はそのまま使っているらしい

●くねくね鉛筆

発売年：1980年代後半　価格：73円〜189円
問合せ：キリン鉛筆株式会社／03-3893-7201

ま

や

ら

わ

索　引

あ

か

さ

取材にご協力いただきました各企業様に心より感謝いたします。

アピカ
宇髙
カール事務器
開明
カズキ高分子
学研教育みらい
キリン鉛筆
銀鳥産業
クツワ
光文書院
コクヨ
榊紙店
サクラクレパス
三嶋化学工業
サンスター文具
柴田ゴム工業所
少年写真新聞社
ショウワノート
ゼブラ
セメダイン
全音楽譜出版社
ソニック
第一
タイガー商会
ダイモ販売
タミヤ
坪米製作所
デビカ
寺西化学工業
トーヨー
トモエ算盤
トンボ楽器
ナカネ
ナカバヤシ
ニシキ糊工業
ニッカー絵具製造所
日本教育楽器
日本白墨工業
白元
ＢＩＣジャパン
ヒノデワシ
不易糊工業
プラチナ萬年筆
ぺんてる
ミカサ
三菱鉛筆
ムーンスター
山田照明
ヤマト
ヤマハミュージックジャパン
レモン

（五〇音順）

まだある。

今でも買える“懐かしの昭和”カタログ ～文具・学校編 改訂版～

2006年6月20日　初版第一刷発行
2006年8月10日　　　第三刷発行
2013年7月26日　改訂第二版第一刷発行

大空ポケット文庫

著　者　初見健一
発行者　加藤玄一
発行所　株式会社 大空出版

東京都千代田区神田神保町3-10-2 共立ビル8階　〒101-0051
電話番号　03-3221-0977
メールアドレス　madaaru@ozorabunko.jp
ホームページ　http://www.ozorabunko.jp
※ご注文・お問い合わせは、上記までご連絡ください。

写真撮影――関 真砂子
デザイン――大類百世　岡田友里
校正――安倍健一
印刷・製本――シナノ書籍印刷株式会社
取材協力――NPO法人文化通信ネットワーク

ISBN978-4-903175-45-4　C0177